L'ŒIL AMÉRINDIEN
REGARDS SUR L'ANIMAL

L'ŒIL AMÉRINDIEN

REGARDS SUR L'ANIMAL

SOUS LA DIRECTION DE
HÉLÈNE DIONNE

les éditions du
septentrion

MUSÉE DE LA
CIVILISATION

Cette publication a été réalisée à l'occasion de l'exposition «L'ŒIL AMÉRINDIEN, REGARDS SUR L'ANIMAL». Présentée au Musée de la civilisation de Québec, du 1ᵉʳ mai au 30 octobre 1991, cette exposition a bénéficié de la collaboration du Grand Conseil des Cris (du Québec), du ministère du Loisir, de la Chasse et de la Pêche du Québec et de la Société Radio-Canada.

Conception et coordination: Hélène Dionne, avec la collaboration de Céline De Guise, Musée de la civilisation.

Édition: Marie-José des Rivières, Musée de la civilisation
Louise Côté, Les éditions du Septentrion

Conception graphique: Lévis Martin

Couverture: Illustration de Wayne Yerxa, *Wolf Dancer* (1975), Centre d'art indien, Ottawa.
Quatrième de couverture: Photo de Pierre Bernier, ministère du Loisir, de la Chasse et de la Pêche du Québec.

Traduction: Les Services linguistiques Dorion-Coupal enr.

Révision linguistique: Dominique Johnson, Folia inc.

Le Musée remercie de leur collaboration Françoise Cordeau et Josée Côté.

Diffusion: Dimedia
539, boulevard Lebeau
Saint-Laurent (Qc) H4N 1S2

Dépôt légal – 2ᵉ trimestre 1991
Bibliothèque nationale du Québec
Bibliothèque nationale du Canada

ISBN 2-921114-52-6

© Musée de la civilisation / Les éditions du Septentrion
1300, av. Maguire, Sillery (Qc) G1T 1Z3

Le Musée de la civilisation est une corporation d'État subventionnée par le ministère des Affaires culturelles du Québec.

Table des matières

Introduction

La femme aux oursons, Norval Morrisseau, artiste ojibwa. (Coll.: Henri Dorion. Photo: Pierre Soulard.)

L'ŒIL AMÉRINDIEN, REGARDS SUR L'ANIMAL

Henri Dorion, géographe
Musée de la civilisation

Le lien humain-animal est à la base de la sagesse amérindienne. Qu'ils vivent cette relation dans les nécessités quotidiennes ou qu'ils l'expriment dans les motifs ornant les objets usuels et sacrés, les Amérindiens y traduisent toujours leur conception de l'univers et leur sens de la vie. Cette osmose homme-nature constitue la toile de fond des textes de cet ouvrage et aussi de l'engagement du Musée de la civilisation face aux nations autochtones.

La sagesse amérindienne le sait: il n'y a pas que la terre qui soit ronde; l'univers lui-même est rond. Tout est cycle, relié à tout dans la circonférence du temps et de l'espace. L'unité et la cohérence du monde physique et spirituel font que la «personne humaine» est fondue dans une réalité à laquelle la «personne animale» participe de la même façon. Dans la longue chaîne évolutive du monde, l'homme est-il issu de l'animal? Et la réciproque est-elle concevable? D'aussi loin que les mythes nous viennent, les filiations sont réversibles et on aura vu aussi bien la louve romaine allaiter des petits humains que la Mère-Poisson-Tente amérindienne nourrir des oursons.

Si l'osmose entre l'humanité et l'animalité est si grande sur les plans physique et spirituel, c'est qu'elle l'est aussi sur le plan cosmogonique. Issus de la terre-mère, l'homme et l'animal entretiennent conjointement, par leurs relations d'interdépendance, l'équilibre du monde, une noble mission inhérente à leur origine commune. À cet égard, les conceptions scientifiques de l'origine de l'univers, ponctuées des découvertes de la recherche moderne, rejoignent la mythologie amérindienne.

Que les responsables immédiats de la naissance de l'humanité soient le serpent, la tortue ou l'oiseau-tonnerre importe moins que la certitude de la complémentarité qui scelle de tout temps les rôles et les sorts de l'homme et de l'animal et qui conditionne leur survie; là réside la sagesse de la pensée et de l'action amérindiennes. Le respect de l'animal et, à travers lui, le respect de l'ordre de la nature se situent donc à la charnière d'un passé et d'un futur dont on interroge – non sans une certaine inquiétude – le caractère éternel. Les pages qui suivent n'apportent pas tranquilité à cette inquiétude. Mais elles témoignent, par quelques réflexions et quelques exemples, de la pérennité de la relation entre l'homme et l'animal et du sens profond qu'elle revêt. L'analyse anthropologique autant que le savoir viscéral légué par la tradition amérindienne ancestrale illustrent comment l'Amérindien observe l'animal, l'utilise, le représente, autant aujourd'hui que par-delà les temps longs et les vastes espaces de l'Amérique du Nord. Ce ne sont que des coups d'œil car le thème est vaste, vaste comme le monde lui-même où l'homme et l'animal s'associent pour en perpétuer l'équilibre.

Cette association est multiple et complexe; la relation entre l'homme et l'animal a été perçue, interprétée, vécue par les Amérindiens sous toutes les formes qu'empruntent la vie et la survie. L'épopée de l'origine du monde, selon toutes les versions de la mémoire amérindienne, constitue un vaste bestiaire mythologique. Maternité et filiation placent l'animal parfois en amont, parfois en aval de la mère qui s'unit, selon les régions, à l'ours, au corbeau ou au colibri... Les liens de dépendance sont réciproques et le jeu des forces qui oppose, quelquefois en apparence seulement, l'homme et l'animal, est réversible. L'animal qui s'*offre* au chasseur ne fait que confirmer la nécessité du cycle de vie qui fait de l'un comme de l'autre des consommateurs réciproques. En buvant l'autre vivant ou en le mangeant mort, chacun hérite de sa force, de son pouvoir.

Cette osmose va jusqu'à l'hybridation; combien de femmes-poissons ou d'hommes-jaguars peuplent les quatre coins de la mémoire amérindienne! Et jusqu'au langage qui traduit la parenté des humains et des animaux; le totem, où se conjuguent les uns et les autres, représente et «nomme» le clan. C'est ainsi que des noms d'animaux désignent les familles, les nations, mais aussi le temps et l'espace, notamment les mois et les territoires. Quelle plus belle synthèse de ce flux de communication entre l'homme et l'animal, que cette sculpture mille fois reproduite où, sur le dos de l'oiseau source de vie, s'unissent et se prolongent la langue de la grenouille et celle de l'homme! L'animal est tout pour l'Amérindien. Il est le gibier qui le nourrit, qui prolonge ses mains et qui l'habille; il devient même l'instrument pour appâter ou capturer d'autre gibier. Pour l'Amérindien, l'animal est un maître qui lui enseigne les lois de la nature, l'art de prévoir, d'imiter, de déjouer. Il est le gardien, à l'orée de la forêt ou aux portes de la nuit ou de l'au-delà. Certains animaux nobles ont le privilège et la responsabilité d'être les gardiens de l'équilibre du monde. D'autres se font messagers et même véhicules pour porter hommes et marchandises d'une rive à l'autre de la rivière ou de la vie.

L'animal est un intermédiaire entre l'homme et la nature et il enseigne au chaman comment l'être aussi. L'animal est le protecteur de l'homme autant que la loi naturelle exige la réciproque.

L'animal régit les rapports entre les hommes, entre les hommes et la nature, avec savoir-faire et parfois même avec humour.

Selon les régions, le carcajou, le raton laveur, le corbeau, le lapin ou l'opossum, en bon maître de cérémonie, sera garant des rythmes de la nature, annoncera les saisons et ménagera les surprises. L'«animal *trickster*» sera le guide de qui veut bien suivre la trajectoire de l'œil amérindien à travers ce monde peuplé d'animaux.

La trajectoire que propose ce livre sera ponctuée d'une série de regards différents. Plácido Villanueva Peredo portera son regard sur les Huichols du Mexique et leurs relations avec les animaux. Diane Dittemore soulignera la place de l'animal dans le rituel de puberté chez les Apaches de l'Ouest. Le cheval, animal de continuité depuis son introduction en Amérique, inspirera les lignes personnalisées de Gerald McMaster. Viviane Gray parlera du totem, cette «colonne de vie» entre l'homme et l'animal. Richard Dominique initiera le lecteur à la scapulomancie, cette méthode de reconnaissance divinatoire qui permet de lire les messages que le feu imprime sur l'omoplate du caribou. Ce sont là, en effet, des coups d'œil; une espèce d'animal lorsque l'Amérique en compte des milliers, la référence à un peuple alors que des centaines habitent l'Amérique, une technique alors que l'animal en a inspiré des dizaines à l'Amérindien, un seul des rites de passage qui pourtant sont nombreux à ponctuer la vie humaine; c'est évidemment peu pour traduire l'infinie variété des rapports entre l'Amérindien et l'animal. Mais les pages de Pierre Beaucage évoqueront cette variété par la brève synthèse qu'il fait des relations homme-animal et des mythes qu'elles ont nourris, relations dont Hélène Dionne, dans sa conclusion, montre le caractère à la fois intime et universel. Une fois fait ce tour d'horizon, Céline De Guise invitera le lecteur à suivre l'œil amérindien dans un parcours qui est aussi celui de l'exposition «L'Œil amérindien, regards sur l'animal», présentée au Musée de la civilisation de mai à octobre 1991.

Le contexte dans lequel s'est développé cet ouvrage se situe donc en marge d'une exposition qui constitue une expérience particulière à plus d'un égard. Étudier les relations entre l'Amérindien et l'animal, c'est s'interroger sur la place et l'action de l'homme face à la nature. C'est aussi envisager le patrimoine des nations amérindiennes dans toutes ses dimensions. Parmi celles-ci, la plus fondamentale est le territoire et il y a là, on le sait, un débat entre autochtones et eurogènes que cinq siècles de cohabitation n'ont pas encore tranché. Mais il y a aussi cette autre dimension du patrimoine autochtone qu'est la culture matérielle des Amérindiens, une dimension en un sens plus saisissable, bien que multiforme et éclatée en des milliers d'objets qui sont autant de témoignages de la relation privilégiée entre l'Amérindien et l'animal.

Dans la longue marche qu'ont entreprise les nations autochtones d'Amérique vers la reconnaissance de leur identité, ces artefacts de culture matérielle ont de plus en plus pris figure de symbole et la question du «rapatriement» des objets collectionnés par les musées et autres institutions s'est posée avec de plus en plus d'intensité. Des forums se sont organisés et, fort heureusement, un dialogue s'est amorcé entre les institutions muséales et les communautés autochtones du Canada pour discuter de ces questions. Un groupe de travail sur les Premières Nations et les musées a été créé en 1988 pour examiner la situation au Canada et formuler aux gouvernements, aux institutions et aux communautés autochtones des recommandations susceptibles de donner une orientation positive à la nécessaire collaboration entre les différents groupes engagés dans ces enjeux.

Quelles que soient les recommandations qu'aura formulées ce groupe de travail, il est d'ores et déjà évident que le traitement de thématiques relatives aux cultures autochtones ne pourra plus s'inscrire sans la participation active des communautés concernées. Cela est vrai pour les débats, les écrits, les arts de la scène, les productions muséologiques, bref pour toute activité qui veut exprimer ce que voit l'*œil* amérindien, ce que ressent le *cœur* amérindien, ce que vit l'*âme* amérindienne. La réflexion que nous avons solidairement menée autour de la thématique des relations entre l'Amérindien et l'animal s'inscrit dans le cadre de telles préoccupations. Le choix de la thématique, la pondération des thèmes et des références, la sélection des exemples, l'identification des objets qui, dans l'exposition, illustrent le sujet, sont autant d'étapes que seule une complicité entre plusieurs personnes et institutions de culture amérindienne permettait de franchir avec la certitude que le propos était juste.

Nous souhaitons que cette introduction au thème sur les relations entre l'Amérindien et l'animal soit un pas vers un échange fructueux de regards réciproques et convergents. Car autochtones et eurogènes partagent le défi d'assurer la suite d'un monde où l'homme et l'animal sont partenaires, solidaires d'un équilibre qu'ils savent fragile. Puisse ce livre donner aux lecteurs et aux lectrices le goût d'une plus grande sensibilité au monde animal que les autochtones d'Amérique sont à même de nous mieux faire comprendre.

Chapitre 1

*Chef du groupe des aigles,
indien tsimshian, 1923.
(Collection et photo: Musées
nationaux du Canada.)*

SI VOUS POUVIEZ VOIR LE MONDE À TRAVERS NOS YEUX*

Viviane Gray, Micmac
Listgujg, Chef du Centre d'art indien

Le rapport entre les Amérindiens et les animaux se prolonge dans la facture des objets usuels, dans les représentations esthétiques et même jusque dans l'identification des personnes.

The assumption that the universe looks the same in every direction is clearly not true[1].

En réalité, l'hypothèse selon laquelle l'univers est le même dans toutes les directions est absolument erronée.

L'exposition «L'Œil amérindien, regards sur l'animal» traite de la relation entre l'être humain et l'animal du point de vue autochtone. Par l'intermédiaire d'objets archéologiques, ethnologiques, historiques et contemporains appartenant aux Premières Nations du Canada, des États-Unis et du Mexique, l'exposition tente de présenter une vision holistique de la symbiose qui existe entre les autochtones d'Amérique et les êtres vivants partageant leur espace.

---

* Traduit de l'anglais.
1. Stephen W. Hawking, *A Brief History of Time, From the Big Bang to the Black Holes*, Toronto, Bantam Books, 1988, p. 40.

Cette exposition, qui convient bien à un musée à tendance progressiste, a été mise sur pied par le Musée de la civilisation de Québec en 1990, année qui a été marquée par une forte agitation sociale et politique à travers le monde. Au cours de cette année, au Canada, une dissension évidente naissait entre les peuples autochtones et les Eurocanadiens. Le pays traversait une récession. Partout dans le monde, la menace puis l'éclatement d'une guerre dans le golfe Persique étaient des sujets d'inquiétude constants. De plus, une revue scientifique de l'année réaffirmait que les progrès technologiques rapides de notre société moderne, insensible à l'avenir de la planète, détruisaient l'environnement.

Compte tenu de ce sombre bilan, il est surprenant que les Premières Nations aient accepté de participer à une exposition qui aurait pu, encore une fois, nuire à leurs intérêts et ne pas tenir compte de leurs inquiétudes. Afin d'éviter ces conséquences fâcheuses et de respecter les peuples représentés, toutes les précautions ont été prises pour que les personnes responsables des communautés autochtones soient consultées.

Pour la première fois dans l'histoire des musées canadiens, les autochtones ont participé à la préparation de l'exposition, soit à la recherche, à la conservation ainsi qu'à l'organisation et au développement, y compris la rédaction de ce livre. Afin de respecter les rites et les traditions, surtout en ce qui a trait aux objets sacrés, cérémoniels et funéraires, nous avons observé le protocole en demandant à des anciens de bénir les objets.

Lors de la préparation de l'exposition, d'importantes collections canadiennes, américaines et mexicaines ont été étudiées. Les recherches ont été menées avec soin en trois langues – français, anglais et espagnol – par une équipe spécialisée formée de chercheurs, d'archéologues, d'anthropologues, d'ethnologues, de conservateurs, d'artistes, d'organisateurs d'expositions, de musiciens et d'éducateurs, chacun participant activement à un projet individuel, à des études sur un groupe tribal ou travaillant dans une institution. Sans l'amour que ces personnes portent à la beauté infinie des objets fabriqués par les Premières Nations et les connaissances qu'elles ont de leur importance culturelle, cette exposition n'aurait pas été possible.

Une vision du monde à travers les yeux des peuples autochtones

Il est difficile et généralement incorrect d'énoncer des généralités sur la vie des autochtones d'Amérique car ceux-ci ont habité, et habitent toujours, un très grand espace formé d'environnements variés et abritant différentes espèces vivantes. C'est pourquoi nous utilisons les quatre points cardinaux comme points de référence. Le nord, le sud, l'est et l'ouest sont les points qui nous permettent de nous situer sur la Terre et d'y situer la vie qui s'y trouve. En Amérique, un grand nombre de peuples autochtones, sinon la totalité de ceux-ci, utilisent également ces points de référence.

Ces quatre points cardinaux sont élargis afin d'inclure les quatre niveaux de l'univers ou les quatre mondes connus sous les noms de «monde céleste» (*Sky World* ou *Upper World*), de «monde terrestre» (*Earth World*), de «monde aquatique» (*Water World*) et de «monde souterrain» (*Under World*). Il est très important de connaître les divisions spatiales pour bien comprendre la métaphysique des autochtones. Ces divisions peuvent varier chez certaines des tribus, mais les éléments principaux, soit les quatre points cardinaux et les quatre mondes, sont fondamentaux dans la réalité des Premières Nations.

Comprendre notre place dans la vie

Au début, seuls existaient le monde céleste et le monde aquatique. Les êtres qui les habitaient se comprenaient et vivaient en paix.

Un jour, la Femme Céleste tomba du monde céleste. En la voyant, deux Huards se réunirent pour amortir sa chute et la sauvèrent de la noyade. Ils crièrent à l'aide et la Grande Tortue, en entendant leurs voix éplorées, vint à leur secours et prit la Femme Céleste sur son dos.

Les êtres aquatiques et célestes s'approchèrent et s'extasièrent devant la Femme Céleste. Elle était si belle et si forte! Ils décidèrent qu'elle devait pouvoir vivre sur la terre et la Grande Tortue les envoya la chercher.

Après bien des jours et des nuits, le Crapaud trouva une petite bande de terre qu'il donna à la Grande Tortue pour qu'elle la mette sur son dos. Ainsi naquit le monde terrestre[2].

La création, par Stan Hill, artiste mohawk.
(Collection et photo: Centre d'art indien, Ottawa.)

2. «Story of the Earth and the Great Turtle (Histoire du monde et de la Grande Tortue)», racontée par Viviane Gray, *Chronicle of Canada*, Montréal, Chronicle Publications, 1990, p. 24.

Cette version iroquoise fait partie du grand nombre de légendes et de mythes sur l'origine du monde terrestre racontés par les Premières Nations. Habituellement, les êtres vivant dans les quatre mondes sont des animaux qui possèdent des caractéristiques humaines et sont, dans bien des cas, interchangeables.

Chaque animal, qu'il provienne du monde souterrain comme le serpent ou l'insecte, du monde aquatique comme le poisson, la baleine ou le phoque, du monde terrestre comme l'ours, le cerf, le castor, etc., ou du monde céleste comme l'oiseau, a ses propres pouvoirs. Ceux-ci sont essentiels pour survivre dans chacune des divisions spatiales. Certains êtres ont plus de facilité à s'adapter que d'autres; certains sont plus puissants que d'autres; certains sont plus beaux. Chacun possède ses propres caractéristiques et, très souvent, il existe une histoire sur son origine ou sur le rôle prédominant qu'il a joué dans la création de l'univers tel que nous le connaissons.

Il existe également des êtres mythologiques ou spirituels qui ne ressemblent à aucun des animaux des quatre mondes. Chacun

Bol en rhyolite (roche volcanique),
orné d'un serpent à sonnettes sculpté,
hohokam, 700 à 900 ans av. J.-C.
(Collection et photo: Arizona State Museum.)

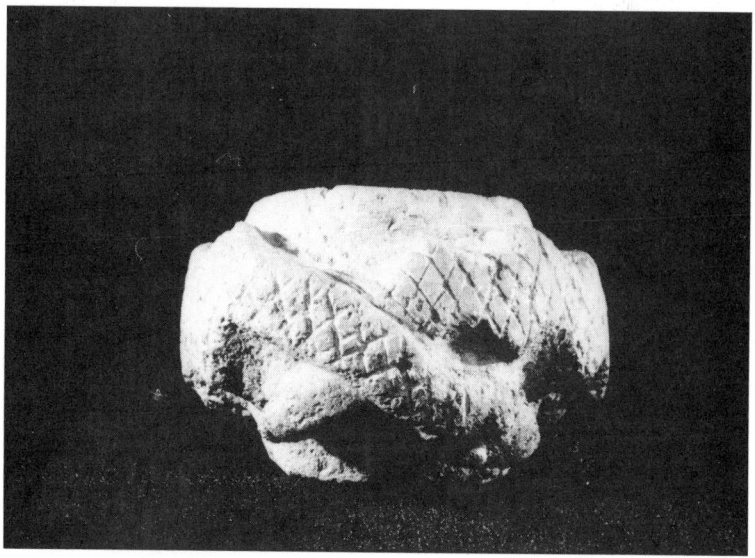

de ces êtres mythologiques est formé d'éléments et possède les caractéristiques de différentes créatures. Ces êtres possèdent des pouvoirs infinis et, pour les affronter, il faut non seulement connaître les règles de survie élémentaires, mais également posséder des pouvoirs universels, soit les pouvoirs d'un chaman ou d'un être sacré. Souvent, ces pouvoirs sont enseignés par les animaux ou les autres créatures des quatre mondes. Un apprentissage rigoureux des rituels et un très grand sens des responsabilités sont nécessaires pour acquérir les pouvoirs permettant de comprendre et d'affronter les êtres mythologiques.

Au nom de...

La fascination qu'exercent les animaux sur l'homme n'est pas propre aux autochtones d'Amérique. Des archéologues européens ont découvert des illustrations d'animaux datant de 60 000 à 10 000 av. J.-C., comme c'est le cas dans la grotte de Lascaux, en France. La question posée est la suivante: ces peintures

Masque de requin,
par Robert Davidson, artiste haïda, 1981.
(Collection et photo: Centre d'art indien, Ottawa.)

étaient-elles simplement une représentation d'animaux ou illustraient-elles la survie à cette époque?

On a également trouvé des figures d'animaux dans les armoiries des nobles européens de l'époque des Croisades (au Moyen Âge). Le personnage historique Richard 1er Cœur de Lion (1157-1199) nous rappelle que les Européens associaient également leurs héros à des animaux. En France – et plus tard en Nouvelle-France –, les noms tels que Lebœuf, Renard, Pigeon, Héron, Moineau et Lelièvre ont dû avoir un rapport direct, à un moment de l'histoire, avec l'animal en question.

Des anthropologues et des universitaires ont découvert que les autochtones d'Amérique faisaient la même association entre les animaux et leurs caractéristiques retrouvées chez l'homme. Dans les années 1930, Franz Boas[3] s'est intéressé au totémisme chez les peuples de la Côte ouest du Canada et des États-Unis et il a ainsi éveillé l'intérêt de chercheurs connus, poussant ceux-ci à approfondir le sujet, comme l'a fait l'anthropologue français Claude Lévi-Strauss[4] au milieu des années 1960.

Cependant, c'est peut-être grâce aux observations de l'anthropologue Frank G. Speck, qui a étudié les Amérindiens vivant dans les régions du Nord-Est, que nous possédons une définition plus «indigène» du totémisme. D'après lui, les Algonquins (Ojibwa) du Témiscamingue vivaient en clans, ou groupes, identifiés par un emblème précis, ou totem. L'emblème du clan était un animal, appelé *nto'te'm* ou «ma famille»[5].

Les autochtones désignent habituellement leurs totems (dans certains groupes tribaux, il est possible d'avoir plus d'un totem) en disant «mon totem» ou «mon guide spirituel». Aujourd'hui encore, le totémisme ou l'étroite relation spirituelle et physique entre l'homme et l'animal est d'une importance capitale pour l'autochtone. Cette relation particulière est en général très personnelle et, dans bien des cultures, elle n'est partagée avec per-

3. Franz Boas, *Race, Language and Culture*, Toronto, Collier-Macmillan Canada Ltd., 1966.
4. Claude Lévi-Strauss, *Totemism*, Boston, Beacon Press, 1963.
5. Frank G. Speck, *Family Hunting Territories and Social Life of Various Algonkian Bands of the Ottawa Valley*, Memoir 70, Ottawa, ministère de l'Énergie, des Mines et des Ressources, Études géologiques, 1915, p. 7-8.

sonne, même au sein d'un peuple, car les autochtones estiment qu'en dévoilant leurs âmes sœurs, ils se rendent vulnérables. Chaque tribu utilisait les totems à sa manière. Par exemple, dans l'hémisphère nord, les groupes familiaux étaient représentés par leur animal ou leur totem. Celui-ci était choisi par différentes méthodes, habituellement par l'intermédiaire de rêves ou de visions. Chez les Penobscots de la Côte est, Speck a constaté que toutes les familles portaient un nom d'animal. Un point encore plus intéressant dans leur structure sociale et parentale était la dualité observable entre les familles représentées par des animaux terrestres et celles représentées par des animaux aquatiques. Speck a également constaté que chacun de ces deux groupes de familles avait son chef respectif [6].

Aujourd'hui encore, les représentations totémiques ou animales jouent un rôle important dans la vie de la plupart des peuples autochtones. Par exemple, il est courant de rencontrer des autochtones portant un nom d'animal, que ce soit en anglais, en français ou dans une langue indigène. De plus, dans certains cas, même si une famille a adopté un nom à racine européenne, la communauté continue à l'appeler par son nom d'animal.

L'importance du totem animal est également évidente dans les traités historiques que les chefs de tribus signaient à l'aide de leur symbole totémique.

Les artistes autochtones contemporains utilisent aussi leurs totems, que ce soit à l'intérieur même de leurs œuvres ou pour signer celles-ci.

Les animaux jouent un rôle primordial dans la vie des Premières Nations et ce, non seulement en assurant la survie essentielle de l'homme, mais en lui rappelant la symbiose qui existe entre l'homme et l'animal. Cela est particulièrement évident dans la cosmologie autochtone. Par exemple, les Sioux nomment le mois de février «la lune du raton laveur», les Omahas appellent le mois de mars «la lune de la petite grenouille» et les Arikaras désignent le mois de décembre sous le nom de «la lune du nez du grand serpent».

6. Frank G. Speck, *Penobscot Man, The Life History of a Forest Tribe in Maine*, Presses de l'Université de Pennsylvanie et Presses de l'Université d'Oxford, 1940, 325 p.

De plus, il existe nombre d'histoires sur la grande ourse vivant dans le monde céleste et dont la forme est identique à celle de la Grande Ourse de l'astronomie moderne.

Les créations de la beauté

Les objets fabriqués par les différentes générations d'autochtones illustrent parfaitement le rapport unique qui existe entre l'homme et l'animal. Tous ces objets démontrent le respect des autochtones envers les animaux. En effet, aucune partie de l'animal n'est montrée hors contexte afin de ne pas humilier celui-ci ou son esprit. Ces objets sont avant tout des œuvres d'art.

Une philosophie est commune aux différents peuples autochtones; c'est celle d'éviter tout gas-

Collier, attikamek, peau d'orignal et griffe de perdrix. (Collection: Musée de la civilisation. Photo: Pierre Soulard.)

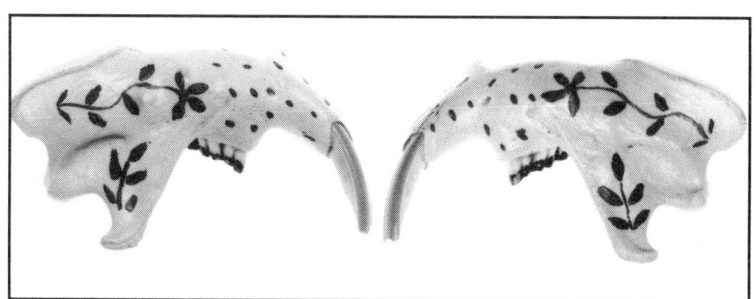

Amulettes, attikamek, mâchoires de castor. (Collection: Musée de la civilisation. Photo: Pierre Soulard.)

pillage. Cette façon de penser est très bien illustrée par l'utilisation que faisaient les indigènes des animaux. En effet, ils se servaient de toutes les parties de la bête après l'avoir tuée pour la manger, pour fabriquer des objets utilitaires. Les os, les poils, la peau, les dents et les griffes servaient à faire des outils, des vêtements, des ornements et même des remèdes. Ces objets étaient travaillés avec la plus grande finesse et décorés à l'aide de motifs symboliques les plus délicats.

Pour survivre, les autochtones d'Amérique utilisaient l'environnement de différentes façons. Ils se servaient non seulement des parties concrètes de l'animal, mais également de son esprit, qui était conservé dans ces objets finement travaillés, peut-être par respect pour l'animal ou pour perpétuer son esprit. Cela est représenté par les objets les plus utilitaires comme les outils que les Cris-Naskapis du Nord du Québec et de l'Ontario et les groupes vivant sur la Côte nord-ouest fabriquaient à l'aide d'os et sur lesquels ils gravaient des dessins d'animaux.

Cela s'illustre également par les objets plus sophistiqués utilisés lors des rituels cérémoniels ou sacrés. Citons entre autres les vêtements, les masques, les tambours et autres instruments ainsi que les amulettes dont on se servait à des fins personnelles ou cérémonielles. Les plus beaux objets rituels proviennent des collections de la Côte nord-ouest, de l'Arizona et du Nouveau-Mexique.

L'exposition «L'Œil amérindien, regards sur l'animal» présente une vaste gamme d'objets: des sculptures et poteries préhistoriques provenant du Mexique et des régions du Sud-Est et du Sud-Ouest; des tissus extraordinaires du Mexique et de la Côte nord-ouest; de fins objets fabriqués à l'aide de piquants de porc-épic provenant des régions des plaines ainsi que les œuvres avant-gardistes d'artistes indigènes contemporains tels Edward Poitras (métis), de Saskatchewan, Diane Robertson (Montagnaise), du Nord du Québec, Ron Noganosh (Ojibwa), du Nord de l'Ontario, Domingo Cisneros, du Mexique et Doug Coffin (Potéouatami/Cri), de Santa Fe, au Nouveau-Mexique.

Tous les objets présentés ont été choisis afin de montrer la relation privilégiée qu'entretenaient les autochtones avec les animaux. Certains ont été faits uniquement avec des parties de l'animal représenté, tandis que d'autres ont été fabriqués à partir d'autres animaux ou de matières non animales comme le métal, la pierre, la terre, les produits synthétiques modernes, etc. Le fil conducteur de cette exposition vaste et variée est la beauté qui émane du travail accompli et des différentes formes d'art. Les objets présentés nous rappellent notre propre relation avec les animaux. Le message qu'ils nous transmettent est universel et éternel.

Le monde en mouvement

Il y a plus de cinq cents ans, les Premières Nations rencontraient pour la première fois des Européens. Selon les historiens, ce premier contact a eu lieu au XIIe siècle, lorsque les Vikings débarquèrent à Terre-Neuve. Toutefois, ce contact fut bref et ce n'est qu'au moment des voyages précédant la colonisation de la

Traité seneca de 1764,
détail des signatures, tiré des minutes
du Conseil de Niagara, août 1764.
(Collection et photo: Archives nationales du Canada.)

Nouvelle-France, au XVIe siècle, qu'un contact direct et continu s'est établi.

Les Premières Nations ont vécu bien des changements au cours des cinq derniers siècles. Autochtones et non-autochtones discutent des avantages et des inconvénients de leur rencontre. Toutefois, les 1 332 groupes tribaux du Canada, des États-Unis et du Mexique existent toujours[7]. En dépit des différentes formes de répression culturelle exercées par les Espagnols, les Français et les Anglais, les Premières Nations ont réussi à conserver leur culture, dont les 329 langues indigènes toujours parlées aujourd'hui[8].

L'aptitude à vivre les uns près des autres, sans que la culture d'un peuple soit détruite, est un point remarquable dans l'histoire de l'humanité et doit être préservée.

Les Premières Nations ont partagé leurs terres et leurs connaissances afin de survivre avec tous les autres peuples, indigènes ou européens. En dépit de la période sombre traversée en 1990, il est encore une fois remarquable de constater que les Premières Nations partagent leurs connaissances métaphysiques avec le reste du monde.

Peut-être est-il temps aujourd'hui de changer notre vision des choses, pour éviter d'anéantir notre planète. Le fait de voir la vie par l'intermédiaire des quatre mondes pourrait changer l'idée que nous avons de la coexistence et la rendre plus riche et plus vraie.

Tepiag'[9].

---

7. Les groupes tribaux désignent des ensembles de familles, des bandes, des villages, des communautés et, dans certains cas, par exemple aux États-Unis, des organismes et des corporations. Au Canada, la population indigène compte environ un million d'habitants, ce qui comprend 522 461 Indiens recensés, pour un total de 606 groupes tribaux. Aux États-Unis, on compte 1,4 million d'indigènes, ce qui comprend les Aléoutes et les Inuit d'Alaska, pour un total d'environ 700 groupes tribaux. Au Mexique, il existe environ cinq millions d'indigènes correspondant à 26 groupes tribaux.
8. Canada: 53 langues indigènes; États-Unis: 250 langues indigènes; Mexique: 56 langues indigènes.
9. En micmac, *Tepiag'* signifie «c'est assez, c'est suffisant» et est le terme traditionnellement utilisé par les orateurs pour terminer une histoire ou un discours.

Chapitre **2**

Coyote.
(Service canadien des parcs.
Photo: W. Lynch.)

LES ANIMAUX DANS LES MYTHES

Pierre Beaucage, anthropologue
Université de Montréal

Les mythes autochtones permettent de comprendre l'ordre du monde, la transformation de l'univers. Les acteurs de ces récits sont très souvent des animaux, d'où l'importance des alliances passées entre eux et les humains. Les animaux nous livrent le sens des récits mythiques autochtones.

Pourquoi des mythes?

Dès que les Occidentaux entrèrent en contacts suivis avec les autochtones d'Amérique, ils furent surpris de l'imposante tradition orale que possédaient ces derniers; surpris, car on n'imaginait pas alors qu'il pût exister, outre les trois grandes religions monothéistes, d'autres ensembles de croyances concernant l'origine du monde, de l'homme et de la culture[1]; émerveillés par l'ampleur et l'articulation des connaissances autochtones, qui allaient des sciences naturelles à la théologie et à la morale; méprisants ou horrifiés, car de tels systèmes reposaient sur la croyance en des êtres surnaturels qui ne pouvaient être que les formes multiples du Malin[2].

---

1. Christophe Colomb n'écrivait-il pas aux Rois Catholiques, Ferdinand d'Aragon et Isabelle de Castille, que les «Indiens nus» pourraient être convertis aisément, puisqu'ils «n'avaient pas de secte», c'est-à-dire pas de religion propre?
2. On retrouve ce mélange d'admiration et de rejet dans les multiples «Voyages» et «Histoires naturelles et morales du Nouveau Monde» qui seront rédigés aux XVIe et XVIIe siècles par des religieux espagnols et français. Mentionnons entre autres Bernardino de Sahagun et Fernandez de Oviedo et, plus près de nous, Sagard et Charlevoix.

Dans les siècles qui suivirent, les mythologies indiennes ont été définies et utilisées à des fins diverses par la philosophie, l'anthropologie et la psychanalyse. Pour les philosophes du Siècle des lumières (XVIIIe siècle), elles exprimaient, sous une forme imagée, naïve et spontanée, les relations des humains entre eux et avec la nature avant qu'ils ne soient corrompus par la société. Pour les anthropologues évolutionnistes du siècle dernier, elles permettaient de reconstituer l'histoire ancienne de l'humanité, en témoignant de coutumes désormais disparues (les «survivances culturelles»), qu'il s'agisse du matriarcat ou du sacrifice des enfants. Quant à Freud, le père de la psychanalyse, il construisit lui-même le mythe d'origine de deux institutions primitives, le «totem» et le «tabou», pour illustrer sa thèse fondamentale concernant le meurtre du père et la prohibition de l'inceste.

Au XXe siècle, l'anthropologie entreprendra l'étude du mythe en lui-même, dans ses rapports profonds avec la société et la culture dans lesquelles il s'insère, et non plus pour en extraire des clés concernant la longue histoire non écrite des humains ou les mystères de l'âme humaine[3].

L'ordre du monde et les animaux porteurs de sens

L'univers autour duquel gravitent les mythes présente avec le nôtre certaines affinités et des différences importantes. L'espace des récits, d'abord, utilise des paramètres empruntés à notre monde: il y est question de terre, de ciel, de mer, de montagnes et de forêts. Mais l'usage de ces repères ne doit pas nous leurrer, pas plus d'ailleurs qu'il ne trompe les auditeurs autochtones des mythes: la terre peut se révéler le toit d'un monde souterrain dont les grottes sont les accès (Nahuas et Mayas du Mexique); la voûte céleste, une coquille aisément percée, d'où tombent des

---

3. Signalons ici les apports de Malinowski, qui définit la fonction explicite du mythe comme étant de servir de «charte» aux institutions sociales, et de Lévi-Strauss, qui propose en 1958 une méthode pour dégager de l'enchevêtrement des récits le «langage» des mythes.

éléments d'un monde différent (Hurons-Wendat)[4]; les volcans, la matérialisation de la femme-grenouille, princesse méprisée par son mari pendant la nuit de noces, et qui se venge de l'humanité en détruisant périodiquement villages et forêts (Haïdas de la Colombie-Britannique).

Le temps du mythe présente par rapport au nôtre le même rapport de similitude et de différence: on y parle de jours, de lunes, d'années, mais ces derniers n'ont rien de la rigidité du temps astral. Ainsi les héros mythiques, comme le fils de la Mère-Ourse (Haïdas) ou le héros culturel Tamakastsi (Nahuas), ont atteint l'âge adulte au bout de quelques jours seulement. Le temps est en outre réversible: le héros culturel Wátakamé (Huichols du Mexique) va quotidiennement travailler à sa milpa... alors qu'on ne cultive pas encore le maïs! Les acteurs des récits mythiques sont également très variés: hommes, femmes, enfants, végétaux, montagnes, vents, monstres... et, très souvent, animaux. Mais leur nature n'est pas fixe: dans un mythe haïda, une jeune femme découvre que l'homme qui l'a enlevée pour l'épouser est un ours et, à l'inverse, chez les Nahuas, le chasseur qui a secouru un boa blessé voit l'animal se transformer en une belle jeune femme dotée de pouvoirs surnaturels (tout comme la femme-colombe-Maïs-Bleu chez les Huichols).

De telles transformations sont communes dans les contes merveilleux de tradition européenne. Quelle est donc la spécificité des récits mythiques autochtones? Elle réside essentiellement dans le sens qui leur est donné: ils doivent permettre de comprendre l'ordre du monde. Comment l'univers a-t-il été créé? Quelles sont les lignes de force qui se camouflent derrière le fouillis des phénomènes naturels et culturels? Quel est le sens de la vie humaine? Une mythologie se présente généralement comme un ensemble de récits relativement autonomes; une partie d'entre eux constitue une genèse en ce qu'elle explique comment un ordre est sorti du chaos. D'autres récits racontent les grandes

---

4. L'appellation «Hurons», on le sait, fut donnée par les Français et n'a aucun rapport avec le nom autochtone «Wendat» ou «Wyandat» que ces derniers revendiquent aujourd'hui. Il en va de même pour les Montagnais-Innu. Pour fins de clarté en cette période de transition, nous utiliserons conjointement les deux appellations.

alliances, conclues entre les hommes et les forces de la nature, qui ont permis l'avènement de la culture et permettent encore à l'humanité de subsister. D'autres récits, enfin, montrent comment ni l'ordre naturel ni l'ordre culturel ou social ne sont immuables et comment l'action individuelle peut les contourner, voire les remettre en question: ces derniers récits mettent souvent en scène un joueur de tours (*trickster*) humain ou animal que son apparence ou ses mœurs rendent étrange ou, du moins, difficile à classifier.

Dans toute la littérature orale amérindienne, les animaux jouent un rôle capital. D'abord, les principaux gibiers: pour les Indiens du Nord, ce sont l'ours noir, le caribou, l'orignal, le cerf, le lièvre, l'oie sauvage, la baleine; pour ceux du Sud, le cerf, le lapin, le pécari, la colombe, le dindon sauvage. Ensuite les prédateurs: ils sont ses rivaux pour la chasse et menacent la pratique de l'élevage. Au Nord, le grizzly, le cachalot, le lynx, le carcajou; au Sud, le jaguar, le coyote, l'opossum; partout, l'aigle, le puma et le loup. Pour bien comprendre les significations multiples attachées aux animaux, il faut situer ces derniers dans les niveaux de l'univers où ils évoluent. L'aigle est le

Tortue.
(Ministère du Loisir, de la Chasse et de la Pêche du Québec. Photo: Fred Klus.)

maître du monde supérieur, lui seul peut regarder le soleil en face. À la surface de la terre règnent, selon les latitudes et les altitudes, le grizzly ou le puma, le jaguar ou le coyote. Le cachalot étend son emprise sur les mers glacées, la tortue sur les étendues d'eau douce, le serpent sur le monde souterrain et l'alligator sur les marais tropicaux; enfin, le jaguar et le coyote respectivement sur la forêt vierge et le désert qui s'étendent à la périphérie du monde habité.

Les animaux des mythes sont cependant plus que des personnages de fables choisis en fonction de leurs traits physiques ou de leurs mœurs: leur participation à la cosmogonie leur confère une dimension symbolique que nous illustrerons brièvement, à partir de quelques textes empruntés aux Montagnais, aux Hurons, aux Micmacs, aux Haïdas, aux Nahuas, aux Huichols et aux Mayas.

Les récits de genèse

Pour les Hurons-Wendat, le monde originel était une vaste étendue d'eau surmontée d'un ciel-coquille sur lequel vivaient un peuple d'êtres semblables aux humains: la fille du chef étant tombée malade, le chaman ordonna qu'on creuse une tranchée autour d'un pommetier sauvage et qu'on en approche la jeune fille. Un morceau de ciel-coquille se détacha et la jeune fille tomba vers l'eau; elle fut secourue de justesse par deux Oies qui la recueillirent sur leurs ailes. On la porta à la Grande Tortue qui réunit tous les animaux et envoya successivement la Loutre, le Rat musqué, le Castor et le Crapaud femelle pour chercher au fond de l'eau un peu de terre. Le Crapaud femelle réussit là où les autres avaient échoué et avec la terre, forma sur la carapace de la Grande Tortue l'île du Monde sur laquelle les humains, ses descendants, vivent aujourd'hui. Avec l'aide de l'Arc-en-Ciel, la Petite Tortue monta ensuite au ciel et rassembla des éclairs pour former le Soleil, puis la Lune, afin d'éclairer le monde. Cette idée d'un monde originellement aquatique est partagée par d'autres groupes amérindiens du Canada, comme les Dénés des Territoires du Nord-Ouest. Cette fois, le rôle du Créateur-

Rassembleur n'est pas tenu par un être du monde aquatique, mais par le Maître des airs, l'Oiseau-Tonnerre[5]:

«[...] au commencement des temps était le grand oiseau Idi qui produit le tonnerre, seul vivant dans le monde et planant sur les eaux qui couvraient tout. Il descendit sur la mer, la toucha de son aile, et aussitôt la terre s'élança du fond des eaux et surnagea à leur surface.»

Pour les Indiens du Mexique et de l'Amérique centrale, le monde aussi était aquatique à l'origine, avant de devenir solide et étagé. Pour les Mayas-Quichés, il n'y avait au départ que le ciel et la mer dans l'obscurité. Les quatre dieux créateurs étaient l'Opossum, déesse femelle de l'aube, le Coyote, dieu mâle de la nuit, le Tapir blanc, déesse-mère, et le Pécari, dieu masculin. Ils étaient tous sur la mer, cachés sous leurs plumes vertes et bleues; on les appelle d'ailleurs collectivement «Gugumatz», le Serpent-à-Plumes-de-l'Eau. Les quatre dieux créateurs dirent: «Que l'eau se retire et surgisse la terre et se consolide [...]» Et les montagnes émergèrent et grandirent, se couvrant tout de suite d'arbres. Puis ils firent les animaux, les génies des montagnes et les gardiens des bois, les cerfs, les oiseaux, les pumas, les jaguars, les couleuvres et les serpents. On nomma les cerfs et les oiseaux gardiens des bois et on leur indiqua leurs demeures, ainsi qu'aux autres animaux. Mais les animaux ne purent dire le nom de leurs créateurs; on ne comprenait pas leur langage.

Pour les Indiens mésoaméricains, l'univers connaît un cycle de quatre fins du monde et de recréations, au bout duquel il apparaît dans sa forme actuelle. Les Nahuas du Mexique central, tout comme les Mayas, voient dans les animaux que l'on retrouve aujourd'hui les témoins vivants de la cosmogonie. Les oiseaux sont les enfants du Premier Monde, seuls rescapés lorsque cette humanité fut dévorée par les jaguars. Les écureuils, les ratons laveurs et les singes sont des humains issus du Deuxième Monde, réfugiés sur les montagnes lors du Déluge et

---

5. Un lien mystique unit d'ailleurs ces deux démiurges, en apparence si éloignés dans l'échelle des êtres. Les Hurons-Wendat ne racontent-ils pas que la Tortue, pour avoir volé et réussi à conserver face à tous les animaux la plume magique de l'Aigle, a obtenu la préséance sur tous les autres animaux?

retournés à l'état animal pour s'être trop longtemps nourris de végétaux crus. Les serpents et les animaux qui habitent dans les grottes sont ceux qui refusèrent la lumière du Soleil au début du Troisième Monde. Le cerf et le lapin sont les anciens maîtres de la brousse; ils durent céder la place à l'homme-agriculteur, au Quatrième Monde, mais demeurent néanmoins sous la protection des dieux. Les jaguars, les pumas et les coyotes, enfin, les souverains de la Terre lorsque régnait la nuit, sont aujourd'hui refoulés à la périphérie de l'Univers par le Soleil. Celui-ci doit encore les affronter à chaque jour lorsqu'il descend derrière l'horizon et l'aube confirme sa victoire.

Les alliances entre les humains et les animaux

Les animaux ne sont pas que les signes d'un passé révolu. Au cours du processus de création du monde se sont formés entre certaines espèces et les humains des liens qui doivent être maintenus si l'humanité veut survivre.

Nous examinerons d'abord l'alliance avec l'ours et celle avec le serpent, dont on retrouve des variantes autant chez les Montagnais-Innu et les Hurons-Wendat du Québec que chez les Haïdas de la Colombie-Britannique et les Nahuas et les Mayas du Mexique.

Un récit raconte qu'un garçon, Méméu, est abandonné dans une île par son beau-père sorcier. Un serpent à cornes apparaît et lui propose de le ramener sur son dos; ils y arrivent en échappant de justesse à la foudre. Méméu retourne chez lui en franchissant les obstacles semés par son beau-père. Il fait fondre la graisse qu'il avait conservée dans des récipients d'écorce et convoque tous les animaux pour qu'ils y plongent: l'ours se baigne longuement et devient très gras, le castor y trempe ses pattes seulement, tout comme la martre, le vison et le lynx; le lièvre n'a droit qu'à un coup de badigeon et l'écureuil, à rien du tout: cela l'empêchera d'être chassé ! Le beau-père s'y baigne et périt dans le feu allumé par son beau-fils, tandis que celui-ci et sa mère se transforment en oiseaux.

Les Nahuas racontent qu'un pauvre paysan rencontre un boa (*masakouat:* «serpent-cerf») écrasé sous un arbre qui lui demande de le secourir. L'homme accepte de le porter jusqu'à sa tanière où on le récompense par un anneau qui donne la richesse. Des voleurs s'en emparent. La souris et l'épervier s'offrent pour le lui retrouver: grâce à sa vue perçante, l'épervier repère la maison des voleurs et y mène la souris qui ronge et perce le coffre où les bandits ont caché l'anneau magique. Ils n'acceptent pas l'argent proposé en récompense. «Plutôt, dit l'épervier, quand j'aurai faim et n'aurai rien à manger, permets-moi d'emporter un de tes poulets. — Et moi, enchaîne la souris, quand j'aurai faim et n'aurai rien à me mettre sous la dent, laisse-moi grignoter un de tes épis de maïs.» Et c'est pourquoi, depuis, l'épervier plane au-dessus des poulaillers et que l'on trouve la souris partout où le grain est rangé.

Les récits se situent, bien sûr, avant la grande rupture, à cette époque où les animaux parlaient la langue des humains et entretenaient avec eux des rapports privilégiés. Dans les deux mythes, l'intervention d'un serpent chtonien permet au héros d'établir le contact avec le monde des animaux et, après quelques péripéties, de passer un pacte avec eux: le jeune Méméu décide de la quan-

My mother's vision,
par Joane Cardinal Schubert, artiste blackfoot.
(Collection et photo: Centre d'art indien, Ottawa.)

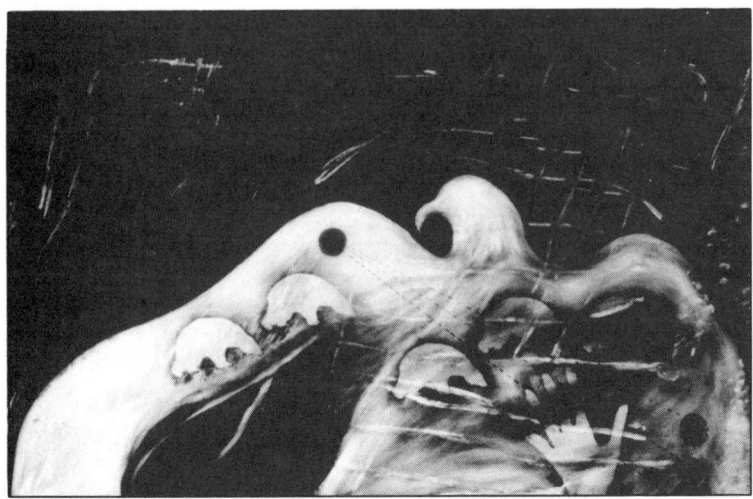

tité de graisse que portera chaque animal (et donc de son attrait pour les chasseurs); le paysan pose pour les générations futures la condition de l'abondance agricole, c'est-à-dire de donner leur part aux habitants de l'air et de la terre. On retrouve le pacte entre les humains et les animaux dans les récits de l'Ours. Ceux-ci prennent des formes diverses. Il s'agit tantôt d'une jeune femme étourdie qui oublie de chanter en cueillant des baies (Haïdas) ou tantôt d'une jeune mère qui ne fait pas taire son fils qui parle la nuit (Mayas-Tzotzils); elle se fait capturer par un ours qui en fait sa femme. Elle met au monde un fils et réussit à se sauver chez les siens (Nahuas) ou encore se fait délivrer (Haïdas). Elle ramène avec elle, dans la personne de son fils, la puissance des ours, source de problèmes chez les humains.

Ailleurs c'est un jeune garçon, enfermé dans une grotte par des compagnons ou un méchant beau-père, qui est délivré par une ourse. Elle le nourrit comme un de ses petits et, plus tard, se sacrifie volontairement en se laissant abattre par les chasseurs. Le jeune homme deviendra un grand maître de chasse qui enseignera le respect des ours (Iroquois, Hurons-Wendat). Parfois, enfin, comme chez les Salish de la Colombie-Britannique, un amoureux éconduit est recueilli par deux sœurs ourses: il tue Ourse Grise, qui lui donnait des serpents à manger et voulait le dévorer, et épouse Ourse Noire, protectrice et pourvoyeuse de poissons. Il revient avec elle chez les siens.

L'alliance avec les animaux n'est pas le fait exclusif des peuples chasseurs. L'adoption de l'agriculture par les humains a été aussi le résultat d'un vaste réseau d'alliances. Pour les Nahuas, c'est le héros culturel Sentiopil («Fils-du-Maïs», appelé dans d'autres régions Tamakastsi, «Pourvoyeur») qui apporte aux humains le maïs. Issu d'un colibri et d'une jeune femme, il doit d'abord échapper, grâce à des tortues, au piège que lui ont tendu les ogres. Des chiens lui permettent de retrouver les os de son père, et tous les animaux l'aident à cultiver. Plus tard, des pics-bois percent la Montagne-Grenier où le maïs est enfermé et des fourmis Atta le transportent sur leur dos. Chez leurs voisins huichols, le héros Wátakamé suit les fourmis Atta jusqu'à la maison de la Colombe sauvage Kukurú, la «jeune mère du maïs». Celle-ci accepte finalement de lui donner en mariage sa fille aînée Maïs-Bleu, qui produit spontanément le grain. Mais la belle-mère de Maïs-Bleu la force à travailler et le charme est rompu; il faudra désormais travailler dur pour manger.

Le *trickster* ou joueur de tours

Les animaux nobles ou redoutables sont responsables de l'ordre du monde et y associent les humains. Mais le monde est aussi métamorphose, il est en destruction-reformation constante; or ce mouvement ne peut venir que d'une transgression des règles qui sous-tendent l'ordre. De même que Prométhée, dans la mythologie grecque, désobéit aux dieux pour donner le feu aux hommes et doit subir le châtiment divin, de même, dans les mythologies autochtones, il existe un être qui a pour fonction de faire bouger le monde: dans le contexte amérindien, on l'appelle le *trickster* ou «joueur de tours». Comme nous l'avons déjà indiqué, il s'agit généralement d'un animal que certains traits physiques ou de comportement mettent à part: pour les Montagnais, le carcajou, grand mustélidé qui prend un malin plaisir à dévaster les lignes de piégeage[6]; pour les Micmacs et les Malécites, le lièvre, chassé par tous et pourtant toujours en grand nombre; pour les Hurons, le raton laveur, pêcheur et consommateur de maïs comme eux; pour les Indiens de la Côte nord-ouest, le corbeau, bruyant mangeur de charogne au corps couleur de nuit; au Mexique central, encore le lapin, mais aussi son éternel rival, le coyote: petit prédateur criard, peureux devant l'homme et que les Nahuas appellent ironiquement *piotekuani* (le «jaguar-des-poules»). Il dispute ce rôle de terreur des poulaillers avec un autre *trickster*, l'opossum, seul marsupial d'Amérique, l'«inclassifiable» par excellence.

Le *trickster* intervient, dès le mythe d'origine, pour «éclaircir» une situation délicate. Chez les Haïdas, le corbeau, en tuant une grenouille, provoque la colère de la Femme-Volcan: une fois la lave refroidie, les humains y découvriront le cuivre. Plus tard,

---

6. Pour les Montagnais-Innu de La Romaine, le carcajou (*Gulo luscus*) fait partie des animaux mantuh, «animaux au pouvoir maléfique».

le corbeau fait apparaître les humains, enfermés dans un coquillage, et vole l'eau douce au loup, le poisson et les nasses aux castors, la lune au Vieux Pêcheur. Pour échapper à ce dernier, il doit fuir par le trou dans le toit qui sert de cheminée, expliquant la couleur de suie qui lui est restée. Le carcajou, chez les Montagnais-Innu, permet aux hommes et aux femmes, jusqu'alors séparés, de se rencontrer; il combat le monstre Wanunu'yew, mustélidé géant qui tuait tous ceux qu'il croisait. Mais la lutte le laisse aveugle et presque mort; aussi doit-il entreprendre un long voyage à la mer pour aller s'y guérir. Dans un autre récit, le carcajou triomphe des ruses de Uápanishu, le Vent-d'Est, qui gardait pour lui la viande des caribous et ne donnait que les poumons aux Vieilles Femmes.

Quant au lapin et à son cousin le lièvre[7], on les retrouve un peu partout dans le rôle de *trickster*, sur presque tout le continent, des Mayas jusqu'aux Micmacs. Il représentait, pour les Aztèques et leurs précurseurs, le Sud, la vie, le bleu, par opposition au Nord, à l'obsidienne et à la mort. Le lapin était surtout

Lièvre.
(Service canadien des parcs. Photo: W. Lynch.)

---

7. Ces deux membres de la famille des léporidés se distinguent nettement par la taille et les mœurs. Les lièvres (genre *Lepus*) sont plus grands et font leur gîte dans les broussailles; les lapins (genre *Sylvilagus*), plus petits, creusent des tanières.

lié à la déesse de la terre et du pulque (vin d'agave), Mayahuel la Nourricière, la déesse-aux-quatre-cents-mamelles. Ceci ne l'empêchait pas de représenter en même temps, selon la dialectique propre à la mythologie mésoaméricaine, Tepeyollotl («cœur-de-la-montagne»), l'un des neuf seigneurs de la nuit. Les Indiens mésoaméricains racontent comment un défricheur voyait à chaque matin que les arbres avaient repoussé. En se cachant pour observer, il découvrit qu'un lapin venait chaque nuit défaire son ouvrage. Le paysan l'attrapa et voulut le tuer, mais le lapin lui demanda de lui épargner la vie contre un secret: les dieux s'apprêtaient à inonder la terre; il lui fallait construire une boîte pour lui, pour sa famille et pour le lapin. Ils eurent la vie sauve et les eaux montèrent tant que le lapin put s'accrocher à la lune où il est demeuré (Otomis, Totonaques). Selon la version des Mayas-Chamulas, plus explicite, le cerf et le lapin s'opposaient à ce que les humains s'approprient la terre pour l'agriculture: notre Père le Soleil lui-même, qui fut le premier paysan, punit les deux rebelles en raccourcissant leur queue et en allongeant leurs oreilles; il les plaça ensuite sous la protection des dieux de la Terre.

Si la place du lapin comme divinité mineure dans le panthéon classique le prédispose naturellement à devenir le joueur de tours, il en va autrement du coyote. Dans le *Popol Vuh,* livre sacré des Mayas-Quichés, le coyote est un des quatre animaux-dieux-créateurs du Premier Monde: il représente l'aspect mâle, avec le grand pécari (Tayassu pécari), et la nuit, tandis que l'aspect femelle est représenté par l'opossum (déesse de l'aube) et le tapir blanc (Tapirella bairdii). Les *Annales* des Mayas-Cakchiquels révèlent que, par la suite, le coyote tenta de faire obstacle à l'avènement de l'humanité actuelle, faite de maïs, et dut être abattu: une fois dépecé, on trouva le maïs dans son corps. Le milan (grand aigle à queue fourchue), cherchant le maïs, ramena de la mer le sang du tapir et du serpent. Avec la pâte du maïs, mêlée à ce sang, les créateurs façonnèrent l'homme.

De même, dans les mythes mayas actuels, le coyote, à l'instar du jaguar s'étant opposé à la venue du Soleil, dut être tué par ce dernier: une Femme-Coyote, qui avait donné l'hospitalité au Soleil, tenta de lui dévorer la tête; mais il s'en tira indemne et la fit brûler dans le «temazcal» (bain de vapeur). Cette victoire préfigure celle, quotidiennement répétée, du Soleil sur les Monstres de la nuit et du monde souterrain. Le coyote est donc un dieu vaincu, et c'est comme tel qu'il devient *trickster:* toujours affamé, toujours vaniteux, il se retrouve, au terme de chaque aventure, humilié et le ventre vide.

L'autre Dieu-Créateur, l'opossum, prend comme le lapin le parti des forces nouvelles. Les Nahuas disent qu'autrefois l'opossum s'offrit pour aller cueillir le feu chez une Vieille qui le refusait aux humains. Profitant du sommeil de celle-ci, il saisit un tison avec sa queue et se sauva, distribuant le feu un peu partout. L'opossum a depuis ce temps la queue pelée.

Dans tous les cas, on voit le *trickster* des mythes d'origine s'opposer au pouvoir. Cependant, contrairement aux héros culturels, tels Sentiopil-Tamakastsi ou Wátakamé, il n'agit pas de façon désintéressée ou pour obéir à un destin supérieur, mais, le plus souvent, par gloutonnerie, par suite d'un pari ou par simple caprice. Le corbeau, le lapin, le carcajou et l'opossum s'attaquent au pouvoir des dieux anciens, qui tiennent le monde arrêté sous leur gouverne: la Femme-Volcan des Haïdas, le Dieu justicier ou vengeur des Indiens mexicains, qui ordonne le Déluge, ou encore le Vent-d'Est des Montagnais-Innu qui accapare la bonne chair. Le résultat de leur action, calculé ou non, est que le monde se rapproche de son état actuel: les humains connaîtront les rapports sexuels, le cuivre, le feu, l'agriculture, l'eau douce et la pêche; les vieilles auront de la viande à manger, et il y aura – fort heureusement – un rescapé du Déluge. Mais lorsque le *trickster* agit contre les forces nouvelles, symbolisées par le Soleil, par le maïs ou par l'humanité actuelle, c'est lui qui se fait tuer et dépecer (pensons au coyote) ou simplement rosser (c'est le cas du lapin accompagné du cerf).

Les récits de *tricksters* [8]

Si le *trickster* demeure un personnage secondaire dans les mythes d'origine, où les protagonistes sont les Grands Animaux et des dieux, il prend sa revanche dans les cycles de récits dont il est le héros, et que l'on retrouve chez la plupart des groupes autochtones. Le ton est alors à la blague et le *trickster* est le plus souvent accompagné d'un faire-valoir, un animal plus puissant que lui, qu'il réussit à tenir en échec[9].

Les Micmacs possèdent une série de contes, aux nombreuses variantes, qui relatent les aventures de Matigoué le lièvre. Le cycle comprend plusieurs sous-ensembles de récits. Dans l'un, on voit le lièvre tenter d'imiter d'autres animaux plus habiles ou plus puissants tels la loutre, le pic-bois ou l'ours: il en tire de cuisantes leçons sur l'importance de garder sa place. Dans un autre, Matigoué est poursuivi par Loussafy, le lynx. Devenu magicien, il échappe à ce dernier en multipliant les illusions: tour à tour vieux sage, séduisante jeune fille ou foule en fête, il finit, au terme de maintes péripéties, par épuiser son adversaire qui abandonne la lutte. Enfin, dans d'autres histoires, il se porte au secours de jeunes filles que l'on veut marier contre leur gré ou d'amoureux que le géant Kéwak veut dévorer. Les récits de Matigoué illustrent à la fois les capacités de contestation du *trickster*, surtout quand il a recours à la magie pour tromper ses adversaires, et les limites de ses capacités. Il peut berner les puissants, lorsqu'ils sont arrogants et vindicatifs comme Loussafy, ou qu'ils enfreignent eux-mêmes la coutume du libre choix des partenaires; le *trickster* est cruellement puni quand sa propre suffisance l'amène à se prendre pour un oiseau, un ours ou un animal aquatique.

---

8. Les récits s'apparentent beaucoup à nos récits médiévaux comme le *Roman de Renard*. À tel point qu'aujourd'hui, on retrouve parfois des épisodes de ces derniers intégralement transposés dans les cycles de contes amérindiens (notamment lorsque Renard convainc Ysengrin le Loup de pêcher en mettant sa queue dans un trou dans la glace et que ce dernier se retrouve prisonnier). Chez les Hurons, c'est le rusé raton laveur, le *trickster*, qui joue le tour... au sot renard, qui sera heureusement libéré par son oncle le castor.
9. Cette association du lapin avec la vie peut, bien sûr, être rattachée à son importance dans l'alimentation quotidienne des Amérindiens depuis des millénaires, et à la facilité avec laquelle il se reproduit.

The thief, par Leonard Paul, artiste micmac.
(Collection et photo: Centre d'art indien, Ottawa.)

Dans les récits mésoaméricains, le lapin a souvent comme comparse le coyote. En fait, chacun des deux partenaires illustre l'un des aspects du *trickster* que nous venons de mentionner: le lapin montre les possibilités de l'audace, voire de la fronde, et le coyote, les limites du désir incontrôlé. Un homme dont la récolte subissait chaque nuit des dommages y place une poupée de cire. Lapin – car c'était lui le voleur –, offensé que la poupée ne lui adresse pas la parole, la gifle et demeure englué. Coyote survient et Lapin le convainc d'attendre la belle fiancée qu'on lui amènera. Coyote prend aussitôt sa place et c'est lui qui reçoit le châtiment: on lui brûle l'anus au fer rouge. Plus tard, les deux comparses voient le reflet de la lune dans une mare. «C'est un fromage, dit Lapin, il nous faut boire toute l'eau pour l'atteindre.» Coyote boit et boit, jusqu'à ce que sa panse éclate. Une autre fois, Lapin a besoin d'argent pour se marier. Il se rend chez Coyote avec sa guitare: «Le Roi fait une fête: il faut danser! Je jouerai et tu danseras. — C'est bon», dit Coyote, qui tourne et tourne... Lapin l'assomme et l'écorche. Il fait de même avec Jaguar et va vendre les peaux au Roi. «Tu n'es pas encore assez riche», lui répond le futur beau-père. «Alors gardez-la, dit Lapin, je ne veux plus de femme. Je suis trop petit de toute façon.»

On l'imagine, les récits de joueurs de tours portent souvent sur le thème de la sexualité. Corbeau, dans un récit haïda, s'éprend de la femme d'un pêcheur: celle-ci accepte en cadeau une plume de merle écarlate et déclare qu'elle en veut d'autres. Corbeau emmène le mari à la chasse aux merles et l'abandonne dans une île. Puis, il prend la forme du mari et revient faire l'amour avec la femme. Le pêcheur survient et cette fois, Corbeau n'a pas le temps de se sauver: le pêcheur le réduit en bouillie et le jette aux chiottes, mais comme il se manifeste encore, il le lance finalement à la mer!

Nous avons vu que Coyote a payé chèrement son désir d'obtenir une belle et jeune fiancée. Les amours de Lapin connaissent aussi des hauts et des bas. Une femme est enlevée par un gnome du monde souterrain. Son mari se désole; en vain le bœuf, l'âne et le coyote ont-ils essayé de convaincre le gnome de rendre la femme. Lapin offre ses services au mari éploré: «Mais à condition que tu me laisses coucher avec elle.» L'homme se résigne. Lapin provoque le gnome en duel, ce que ce dernier accepte volontiers. Lapin arrive à la grotte avec deux calebasses remplies de guêpes, de taons et de moustiques qu'il lance à l'intérieur. Pendant que le gnome se débat, Lapin fait sortir la femme. Sur le point de faire l'amour avec elle, il confond le bruit d'un pet avec un coup de fusil et il déguerpit sans demander son reste.

Le *trickster* ou la subversion tempérée

Les animaux sont donc les acteurs d'une foule de récits: mythes d'origine graves et complexes, que l'on ne relate qu'en des circonstances bien déterminées, cycle de contes «à moralité» destinés surtout aux enfants. Histoires égrillardes que l'on raconte dans les beuveries ou quand des équipes d'hommes travaillent aux champs. Y a-t-il une vision commune de l'animal qui traverse une littérature orale aussi diversifiée? Nous croyons que oui. On peut considérer les animaux, leurs activités ainsi que leurs relations entre eux et avec les humains ou avec les esprits comme les supports d'un certain nombre d'idées de base concernant l'univers naturel et social. Pour les autochtones du Nord comme pour ceux du Sud, le monde provient d'une mise en ordre progressive du chaos. Il a fallu et il faut encore une grande force pour former et maintenir cet ordre. Cette force apparaît symbolisée par les grands animaux: l'ours, le jaguar, l'aigle et le cachalot, qui dominent respectivement la terre, les airs, la mer; la tortue, lente, mais symbole d'obstination et de sagesse… À leur tour, ces forces ont dû être déplacées pour que le règne des humains puisse s'établir: les mammifères, les poissons et les oiseaux ont dû accepter de se livrer aux humains pour les nourrir. Dans le cas des agriculteurs, les animaux terrestres ont dû en outre céder la forêt pour qu'elle devienne terre agricole. C'est ici qu'intervient le rôle mythique du *trickster*, animal qui facilite la transition: le corbeau et l'opossum volent aux dieux les instruments dont les humains ont besoin, tandis que le carcajou invente la division sexuelle du travail et que le lapin avertit l'homme de l'imminence du déluge.

Fourneau de pipe, haïda, argilite noire.
(Collection: Musée de la civilisation. Photo: Pierre Soulard.)

Même une fois l'univers recréé dans sa forme actuelle, le chaos menace encore, d'où l'importance des alliances passées entre les humains et les animaux-forces, alliances rappelées par la mythologie et maintenues par le rituel et les interdits alimentaires: il faut demander la permission avant de tuer l'ourse qui allaita l'ancêtre, l'opossum qui vola le feu et le cerf, l'ancien maître de la terre[10]. Mais si l'ordre et une hiérarchie sont nécessaires, ils ne sauraient être absolus sans signifier la fixité et la mort. Les cycles du *trickster* montrent justement la nécessité de la contestation de l'ordre et du pouvoir, et les limites de cette contestation. Le joueur de tours transgresse toutes les règles naturelles et sociales, souvent pour le plus grand bien des humains; et il se fait régulièrement battre pour sa peine. Antihéros de la littérature amérindienne, il part à la conquête du ciel ou du monde souterrain, il défie tous les êtres, animaux, hommes et dieux, et il montre aux humains le chemin et les risques de la liberté.

---

10. Sur les nombreux mythes et rituels concernant le cerf en Mésoamérique, voir le rapport *Les humains et les animaux en Mésoamérique*, Québec, Musée de la civilisation, 1990.

RÉFÉRENCES

ANONYME. *Contes montagnais*, Québec, Paris, Conseil international de la langue française, 1983.

BARBEAU, Marius. *Huron and Wyandot mythology*, Ottawa, Government Printing Bureau, 1915.

BARBEAU, Marius. *Haida myths illustrated in argilite carvings*, Ottawa, National Museum of Canada, Anthropological series, n° 32, 1953.

BEAUCAGE, Pierre. *Les humains et les animaux en Mésoamérique*, Québec, Musée de la civilisation, 1990.

BOUCHARD, Serge et Josée MAILHOT. «Structure du lexique: les animaux indiens», *Recherches amérindiennes au Québec*, 1973, vol. 3, n⁰ˢ 1-2, p. 39-67.

COLOMB, Christophe. *La découverte de l'Amérique*, Paris, La Découverte, 2 vol., 1979.

FREUD, Sigmund. *Totem and Taboo*, London, Routledge and Kegan Paul, 1950.

GOSSEN, Gary. *Los Chamulas en el mundo del Sol*, México, Instituto Nacional Indigenista, 1979.

JENNESS, Diamond, dir., *The corn goddess and other tales from Indian Canada*, Ottawa, National Museum of Canada, 1955.

LAUGHLIN, Robert M. *Of cabbages and kings. Tales from Zinacantan*, Washington, D.C., Smithsonian Institution, 1977.

LEOPOLD, A.S. *Fauna silvestre de México*. México, Instituto Mexicano de Recursos Naturales Renovables, 1965.

LÉVI-STRAUSS, Claude. *Anthropologie structurale*, Paris, Plon, ch. XI: «La structure des mythes», 1962, p. 227-256.

LOPEZ-AUSTIN, Alfredo, *Cuerpo humano e ideología. Las concepciones de los antiguos nahuas*, México, Universidad Nacional Autonoma de México.

PETITOT, Émile. *Monographie des Indiens Dènè-Dindje*, s.l., s.d. (non publié).

RAMIREZ-CASTAÑEDA, Elisa, «Así contaban los antiguos», *México indígena*, n° 5, 1985, p. 14-17.

SAVARD, Rémi. *Carcajou et le sens du monde. Récits montagnais-naskapi*, Québec, ministère des Affaires culturelles, 1974.

TALLER DE TRADICION ORAL. «Juan Oso», *Semana de Bellas Artes*, n° 153, 1980, p. 4-11.

Maseual Sanilmej 1: Cuentos indígenas de la región de Cuetzalan, Cuetzalan, Puebla, CEPEC.

Maseual Sanilmej 2. Cuentos indígenas de la región de San Miguel Tzinacapan, Puebla, San Miguel Tzinacapan, CEPEC, 1985.

Maseual Sanilmej 5: Cuentos indígenas de la región de San Miguel Tzinacapan, Puebla, San Miguel Tzinacapan, CEPEC, 1985.

Maseual Sanilmej 10. Cuentos indígenas de la región de San Miguel Tzinacapan, Puebla, San Miguel Tzinacapan, CEPEC, 1988.

WARNANT-CÔTÉ, Marie-Andrée. *Les tours de Maître Lapin*, Montréal, Éditions Héritage, 1976.

Chapitre 3

Tableau «nierica».
Il s'agit du complexe cerf-peyotl-maïs. Jalisco.
(Collection et photo: Musée national d'anthropologie de Mexico.)

LES RELATIONS ENTRE LES HUICHOLS ET LES ANIMAUX*

Plácido Villanueva Peredo, anthropologue
Musée national d'anthropologie de Mexico

Les Huichols ont su préserver le caractère original de leur culture. Les animaux existent aussi bien dans leur vie de tous les jours que dans leur univers mythique. Ils ont créé une religion reliant l'humain et les animaux à qui ils ont donné le rôle de protecteurs de la communauté.

Perspective autochtone

Parmi les nombreux groupes ethniques qui peuplent le Mexique, le groupe huichol est réparti sur toute l'étendue du territoire.

Le groupe huichol occupe principalement une région située au nord de l'État de Jalisco, à la frontière des États de Nayarit, Durango et Zacatecas; quelques campements huichols sont également établis dans ces États, de l'autre côté de la frontière. Ces campements ont été formés par des familles qui ont émigré de la zone huichole pendant la révolution mexicaine de 1910 et la rébellion *cristera* de 1928[1].

* Traduit de l'espagnol.

1. La rébellion *cristera* était un mouvement d'opposition armé, regroupant des paysans catholiques, contre les politiques de laïcisation du président Calles et de ses successeurs (1924-1936).

La vie huichole

On doit cette forme disséminée de peuplement au fait que les Huichols habitent un territoire accidenté, marqué de profonds ravins, de canyons tortueux, des falaises et des montagnes très élevées: un territoire dépourvu de terrains plats, à l'exception de quelques vallées et plateaux exigus situés dans la cordillère occidentale (Sierra Madre), dans certaines parties des États de Jalisco, Nayarit, Durango et Zacatecas.

De nos jours, les Huichols vivent dans de petites cellules familiales dont la réunion donne lieu à des familles étendues, établies dans des campements ou hameaux composés de cinq à sept maisons. Ces «rancherías» sont dirigées par le membre le plus âgé, soit l'arrière-grand-père ou le grand-père; advenant l'incapacité de ces derniers à gouverner, le pouvoir échoit au fils aîné.

Les Huichols expliquent la dispersion géographique de leur population par un ancien mythe qui dit que le père Soleil, Tayau, a demandé à l'arrière-grand-mère, Nakawe, déesse de la terre et de la croissance, qu'elle disperse ses ouailles afin qu'ils vivent en paix dans des endroits isolés.

Malgré la dispersion de la population huichole qui, selon le recensement de 1980, comptait 51 850 habitants répartis dans plus de 400 «rancherías» disséminées dans la montagne, sur un territoire couvrant un peu plus de 4 100 kilomètres carrés, ces dernières sont, aujourd'hui, regroupées autour de cinq centres cérémoniels. C'est là que se réunissent tous les membres des «rancherías» faisant partie de ces chefs-lieux, qui jouent le rôle de capitales administratives, à l'occasion des célébrations civiles et religieuses de la communauté.

Dans chaque chef-lieu, on trouve, d'un côté du centre – quelquefois une place rectangulaire à l'européenne, sans doute d'influence missionnaire, comme à San Andrés et Tuxpan –, une grande construction, la maison du gouvernement autochtone, que les Huichols nomment «casa real» (maison royale) ou «casa fuerte» (maison forte). Les autorités civiles s'y rencontrent pour juger les transgressions des membres de la communauté, en leur imposant des travaux communautaires, des amendes ou encore en les emprisonnant. De l'autre côté du centre cérémoniel s'élève un temple chrétien avec ses divinités catholiques, œuvre des missionnaires franciscains.

On retrouve aussi dans cette partie du centre cérémoniel les résidences des fonctionnaires civils, telles la maison du gouverneur ou «tatoani» («celui qui parle»), celle du juge, celle de l'«alguazil» (gendarme), celle du capitaine, et les huttes des «topiles» (officiers de police), dont les fonctions sont honorifiques et se renouvellent chaque année. Autour s'élèvent également quelques maisons inhabitées pendant l'année, où logent exclusivement les gens importants des «rancherías» à l'occasion des festivités religieuses et civiles.

Les centres cérémoniels ou chefs-lieux des «rancherías» sont établis dans des endroits fixes; par contre, les habitations huicholes sont parfois construites près d'une source ou d'une terre agricole. Si la source se tarit et si la terre s'épuise, on déplace l'habitation à un autre endroit, car les terres appartiennent à la communauté. On défriche une nouvelle terre, appelée «coamil», en abattant les arbres et les arbustes d'un coteau. Le fait que les Huichols déplacent leur maison sur de courtes distances à l'intérieur du territoire communal en quête d'une nouvelle source ou d'un nouveau «coamil» leur confère un caractère transhumant. On dénombre en outre cinq communes: San Andrés Coamiata, Santa Catarina Coescomatitlán, San Sebastián Teponahuastlan, Tuxpan de Bolaños et Guadalupe Ocotán. Il existe des «rancherías» établies en lieux fixes, mais elles sont rares.

Économie

Certains auteurs croient que les Huichols sont venus du Nord-Ouest du Mexique, qu'ils ont occupé les côtes de Nayarit et même le plateau central mexicain. Si c'est le cas, les Huichols possédaient probablement à cette époque de meilleures terres, de meilleurs territoires de chasse et de cueillette, mais ont été obligés, sous la pression de groupes autochtones ennemis, de se retrancher dans des territoires moins étendus, jusqu'à être définitivement délogés des plaines côtières et repoussés vers le territoire abrupt qu'ils occupent actuellement dans la cordillère occidentale (Sierra Madre), par Francisco Cortés de Buenaventura et Beltrán Nuño de Guzmán, respectivement en 1524 et 1530-1531.

Le groupe huichol pratique aujourd'hui une agriculture de subsistance sur des terres peu fertiles, rocheuses et souvent rocailleuses. Malgré la faible profondeur de leur couvert végétal, les rares terres cultivables sont utilisées pour y semer du maïs, des haricots et des courges. Le «coamil» est débarrassé de ses arbres, arbustes et mauvaises herbes; on abat les arbres au mois d'août et on les brûle en avril, avec l'aide de Tatewari, le dieu du feu, que l'on manipule avec la plus grande prudence pour éviter la catastrophe. On cultive aussi, à l'occasion, certains légumes comme des tomates, des concombres, etc., en bordure des cours d'eau lorsque la terre est suffisamment sèche. De même, lorsqu'on trouve un terrain propice, on fait de petits jardins potagers que l'on s'empresse de couvrir de bouts de bois et de petits troncs d'arbres pour éviter qu'ils ne soient dévastés par les animaux.

L'alimentation huichole se compose essentiellement de maïs, consommé sous toutes ses formes: «tortillas» (crêpes minces de farine de maïs), «gorditas» (galettes de maïs), «elotes» (tendres épis bouillis ou cuits sur le feu), «pinole» (farine de maïs rôtie), «tamales» (pâte de maïs fourrée de viande), biscuits à la farine de maïs, «tejuino»[2] (bière de maïs)... Certains de ces plats s'accompagnent de haricots, de courges ou d'autres légumes cultivés. Les Huichols font aussi la cueillette d'herbes, de fruits, de pousses du nopal[3] et d'autres végétaux qui arrivent à peine à assurer leur subsistance. Aussi complètent-ils leur alimentation en chassant le petit gibier – tantôt un iguane, tantôt un pécari – ou encore par quelques œufs de poule. Toutefois, les Huichols préfèrent réserver la presque totalité de leur production d'œufs de poule ou de dinde, de même que leur élevage de bœufs, de moutons et de chèvres, pour la vente à leurs voisins métis; ceci leur permet d'obtenir l'argent nécessaire pour l'achat de maïs,

---

2. Cette bière a la réputation de faire perdre la tête et de rendre les hommes aussi laborieux que des fourmis Atta.
3. Nopal (*Opuntia cactus*).

cultivé par ces derniers en quantité et qualité supérieures. En effet, leurs maigres récoltes de maïs ne leur assurent pas un approvisionnement constant; les réserves s'épuisent au bout de quelques mois seulement.

Ce n'est que depuis quelques années, soit depuis que les gouvernements national et provincial ont ouvert certaines routes permettant l'accès de camions à la montagne, de même que des pistes d'atterrissage pour les avionnettes, que les Huichols ont la possibilité de sortir plus rapidement et plus facilement de leur région. Avant l'utilisation de ces moyens de communication et de transport, ils devaient marcher jusqu'à dix jours, par des sentiers sillonnant ravins et montagnes, pour gagner les villes côtières dans le but de s'engager comme ouvriers agricoles dans les grandes plantations appartenant aux métis. Ils travaillaient à la culture du tabac, de la canne à sucre, des haricots, de l'hibiscus, du maïs et d'autres produits commerciaux, en échange d'un salaire qui servait en partie à acheter des articles de première nécessité (café, sucre, pâtes alimentaires, biscuits salés, sel, etc.) pour les familles demeurées à la montagne.

Étant donné la difficulté de se procurer les aliments nécessaires à sa subsistance, la rareté et la piètre qualité de sa production agricole, dues toutes deux au manque de pluie et de bonnes terres dans la montagne, le Huichol d'aujourd'hui, comme celui de l'époque de Lumholtz (1904-1986)[4], implore chaque année ses dieux pour obtenir de la pluie, car c'est d'elle que dépendent le maïs, les haricots et les courges; il leur demande en plus la santé, la chance ou la longévité. Il accomplit diverses tâches qui lui assurent d'être en harmonie avec les dieux; Mara'akame, le chaman, danse et chante pour eux, leur sacrifie des animaux, leur adresse des prières et, en plus, leur fabrique de nombreux objets cérémoniels en témoignage d'adoration et comme symbole de ses demandes.

---

4. Carl Lumholtz, *El México desconocido*, México, Instituto Nacional Indigenista, 1986. Fac-similé de l'édition de 1904.

La vision du monde

Nous pensons que les coutumes, les croyances et les comportements religieux et sociaux qui constituent, de nos jours, les manifestations de la vie huichole, se sont forgés à l'époque lointaine où les ancêtres n'avaient d'autre ressource, pour affronter la vie, que les connaissances acquises par un processus empirique de maturation humaine. L'environnement a toujours posé et pose encore un défi au Huichol, et sa survie en dépend étroitement: ainsi, il devait et doit encore se défendre de l'hostilité des animaux, des plantes nuisibles, des phénomènes naturels (périodes de sécheresse, de chaleur, de froid et de vent); de la saison des pluies avec son tonnerre, ses éclairs et ses tempêtes; de la magnificence du cosmos avec le soleil, la lune, les mystères de la nuit et ses ciels constellés d'étoiles, en plus des éclipses solaires et lunaires et des tremblements de terre.

Masque de jaguar.
Les Huichols croient que le jaguar garde la demeure de certaines divinités comme celle de Kauyumarie. Souvent vendu comme objet d'artisanat local. Jalisco.
(Collection et photo: Musée national d'anthropologie de Mexico.)

Le peuple huichol a connu des maladies pour lesquelles il n'a pas encore de remède efficace puisqu'il recourt encore à des thérapies «magiques» dont le succès dépend uniquement du guérisseur Mara'akame qui connaît les propriétés et vertus des plantes médicinales. La faim est apparue assez fréquemment dans le groupe, entraînant la souffrance dans les périodes de sécheresse ou de mauvaises récoltes.

Enfin, l'observation de cet univers a provoqué chez le Huichol un sentiment de petitesse et de faiblesse devant le grand nombre d'énigmes qui se sont présentées à lui, ce qui l'a amené à concevoir l'existence d'êtres supérieurs, les uns bienveillants et les autres malveillants.

Cosmogonie

À l'origine, le Huichol commença par craindre et respecter, puis sacralisa et divinisa les phénomènes naturels. Tous les êtres étaient indifférenciés: les êtres surnaturels, les personnes, les animaux, les choses mêmes, tous se confondaient. En créant ces êtres surnaturels, le Huichol ne les a pas appelés ses «dieux», mais les a nommés plutôt avec des termes rituels de parenté. Ainsi, par exemple, dans le mythe de la création du monde, on mentionne:

«À "Tatiapa", dans le monde souterrain, nos pères étaient occupés à étendre leurs nattes de jonc au milieu de l'eau primordiale. De même le feu, qui ne se manifestait pas encore, s'est mis à [faire] grandir avec les autres son monde, vers le nord, l'est, l'ouest. De même nos mères: "Le nuage qui croît", "la mère du maïs", "celle qui garde le maïs", "la mère de la pluie de l'Est", "la pluie occidentale", "la pluie du Sud", "la grand-mère croissance", au milieu de l'eau, se mirent à agrandir leur monde.»

Ainsi, tous les êtres surnaturels huichols ont reçu des noms de parents: «Notre Arrière-grand-mère Nakawe, mère de la terre et de la croissance»; «Notre Grand-père Tatewari, le feu»; «Notre Mère Maïs, Otuanaka»; «Nos Mères de l'Eau de l'est, Tatei Matinieri»; «Notre Grand Frère Kauyumari, le cerf bleu», etc.

Étant donné les relations auxquelles nous faisons référence et celles que nous mentionnerons plus loin, étant donné le discours et le pouvoir prêtés aux animaux, aux plantes et même aux minéraux, nous reconnaissons chez les Huichols l'existence d'un premier système religieux social qui affirme l'état animé de toute la nature.

Les mythes huichols de la création

Comme dans le mythe de la création du monde et de ses constituants interviennent des animaux, des personnes et des êtres surnaturels, il peut être utile de faire d'abord une brève description de la formation de certains phénomènes naturels, fondamentaux dans la vie du peuple huichol, pour ensuite aborder les relations entre les animaux sacrés ou divinisés, protecteurs du groupe huichol.

«À cette époque, dans l'antiquité, il n'y avait pas encore de village nulle part. Puis, la présence animale commença à se manifester dans la vie huichole; les animaux et les gens étaient une seule et même chose, et pouvaient se transformer à volonté. Les loups, les vipères et les personnes vivaient dans l'obscurité, car ni notre père le Soleil ni notre grand-père le Feu n'existaient.

Un jour, un groupe de gens vit un animal, ressemblant au taureau, se dresser dans la lagune. Les gens le regardèrent avec surprise, car il brillait beaucoup, mais le taureau s'en retourna d'où il était venu. Les gens essayèrent de lui lancer des flèches mais les flèches s'enflammaient sans le blesser. Un sage découvrit ce que le taureau voulait; il désirait qu'on lui apporte ses aliments: des champignons secs[5] et des bûches de bois à brûler. Le sage demanda de l'aide à la grande étoile, l'Étoile du soir, et quand l'animal quitta la lagune, le seigneur l'Étoile sauta sur lui pour lui enlever la peau. De son corps jaillirent des étincelles. Les gens mirent le feu aux champignons et aux bûches, jusqu'à ce

---

5. Il s'agit du *Polyporus Fomentarius*, dont les fibres étaient autrefois utilisées comme étoupe pour allumer le feu.

qu'apparaisse la lumière. C'est ainsi qu'apparut notre grand-père le Feu. Ces gens formèrent ensuite un petit village. Un autre groupe de gens-animaux n'avait pas encore le feu et se mit à penser à la façon de le voler. Quatre tentatives échouèrent. Chaque fois, le messager était attrapé et battu. "Je m'engage à le voler", dit aux gens l'opossum[6] et il se dirigea vers le chef des divinités animales qui gardait jalousement le feu. "Laisse-moi dormir près de cette chose merveilleuse qui réchauffe", lui dit-il. "Si tu ne viens pas voler le feu, tu peux t'endormir." Mais le chef ordonna que l'on érige cinq palissades de surveillance autour de l'opossum. Seulement, celui-ci avait des pouvoirs et les endormit tous profondément. Alors, l'opossum prit un tison, l'emporta dans sa queue enroulée, il sortit de cet endroit et s'en retourna chez lui. Les gens de partout obtinrent le feu grâce à l'opossum dont la queue fut brûlée par le tison volé. Voilà pourquoi il a, jusqu'à ce jour, la queue ainsi faite.»

La naissance de notre père le Soleil

«Grâce au pouvoir de leurs sages, le loup, le serpent et plusieurs animaux savaient qu'un jour apparaîtrait une lumière qui illuminerait le monde entier. Ils savaient aussi quel animal se transformerait en lumière, mais ils ignoraient comment cela allait se produire. À tous, ils firent une grande «teka» (puits tapissé de pierres que l'on chauffe à l'aide d'un feu de bois pour faire cuire la nourriture, une fois les bûches consumées). Un sage eut la révélation qu'un enfant avait été choisi pour être brûlé dans le brasier et se convertir en Notre Créateur, le Père Soleil. Ils choisirent donc un enfant, s'adressèrent à ses parents qui le leur donnèrent en pleurant. Les sages le vêtirent des habits huichols, lui faisant porter le costume brodé, les sandales et le chapeau décoré de toutes les plumes des oiseaux: plumes d'aigle, d'ara[7], de dindon sauvage, de caille, etc. Ainsi costumé, ils le jetèrent au feu.

---

6. Petit mammifère (*Marsupiaux*) à la queue préhensile.
7. Grand perroquet.

L'enfant brûla mais il ne sortit du feu qu'un oiseau rouge. Un autre homme, que l'on ignorait être sage et chanteur, leur dit: "Ne sacrifiez pas ainsi les enfants, cela fait maintenant cinq que vous brûlez et il n'en sort que de simples oiseaux. Je vais, moi, vous dire quels enfants utiliser." Ceux qui l'écoutèrent restèrent surpris puisqu'ils ignoraient que cette personne était sage. "Ces frères qui jouent tous les jours, ce sont eux; ils ont l'habitude de faire rouler, du haut d'une colline, une roue de bois que leur a faite leur père, et ils placent toujours au centre de la roue les flèches qu'ils décochent avec leur arc." Les gens demandèrent ces enfants à leurs parents qui acceptèrent et qui les donnèrent en pleurant. Ils décorèrent le frère aîné et, comme ils s'apprêtaient à le jeter au feu, l'enfant leur dit: "Ne me jetez pas tout de suite, je vais sauter tout seul." Avant de sauter, il dit à son jeune frère: "Va à l'orient et apporte-moi mes jouets." L'enfant fit le tour du feu et sauta d'abord du sud au nord, puis de l'orient au couchant, pour finalement sauter au centre du feu. L'enfant se consuma en faisant monter de la fumée, et l'atmosphère se réchauffa beaucoup. L'endroit où cela s'est déroulé s'appelle "Cerro Quemado" (colline brûlée). Une petite vieille qui assistait au spectacle se jeta aussi dans le feu, par pitié pour l'enfant. La chaleur était insupportable. Le frère cadet arriva à l'est avec les jouets de son grand frère et attendit. L'aîné dit au cadet: "Tu vivras dans les montagnes et seras le frère de tous: Tamatzi (le cerf), notre frère aîné."

Les gens qui observaient la scène ne purent endurer la chaleur. Les uns se jetèrent à l'eau, les autres se réfugièrent dans les grottes ou sous les pierres. Jusqu'à ce jour, les serpents vivent dans l'eau, les animaux sauvages vivent dans les grottes et les jaguars et les pumas, dans les rochers.

Tous les gens se réunirent plus tard pour chercher à savoir ce qui s'était passé. Le ciel s'éclaircit peu à peu tandis qu'on se demandait comment s'appellerait celui qui apparaîtrait. Tous les oiseaux étaient présents: la "chachalaca" (ortalide, oiseau gallinacé du Mexique), les perroquets, les fourmis Atta, mais personne ne réussit à prononcer son véritable nom. C'est alors que la dinde jargonna: "Tau, Tau" (soleil, soleil); voilà pourquoi le soleil s'appelle "Tau".

Quand le soleil irradia la terre de sa lumière, les animaux nocturnes se mirent en colère: serpents, loups, jaguars, renards, coyotes, lions, etc., dirigèrent leurs flèches contre l'astre qui les aveuglait de ses rayons, les contraignant à se réfugier dans l'eau, les forêts et les grottes. Seul l'écureuil et le "trogon"[8] défendirent le soleil afin qu'il ne soit pas tué; en plus, ils lui offrirent du "tejuino" (bière de maïs) pour qu'il puisse passer au couchant. Alors, les loups et les jaguars tuèrent les deux animaux. Voilà pourquoi les Huichols donnent l'écureuil en offrande et le nomment "père".

Quand le soleil se coucha, les gens virent apparaître Metzeri, la lune, celle qui brille mais qui n'a pas de chaleur. C'était la petite vieille qui s'était ainsi transformée en se jetant dans le feu derrière l'enfant.»

Takutzi Nakawe, notre arrière-grand-mère

Takutzi Nakawe, «notre arrière-grand-mère, la femme la plus vieille au monde», est considérée par les Huichols comme la mère de toutes les divinités:

«Le dos courbé, elle marche dans la montagne en s'appuyant sur un bâton de bambou représentant un serpent ou une couleuvre. Le bambou est la plante la plus ancienne de la création selon les Huichols. Elle habite une petite chaumière de style huichol, dans la grotte d'Aitzari, au creux d'un ravin, en bas de Santa Catarina. Elle y a une fontaine d'eau bénite et on lui offre des flèches, des tasses, des bijoux. C'est l'arrière-grand-mère, la terre-mère, la végétation, notre guide, celle qui pensa à faire tout ce qui est ici.»

---

8. Un oiseau aux couleurs magnifiques, parent du quetzal.

Relation entre Nakawe, le maïs et le cultivateur Wátakamé

«Le maïs est né de nos anciennes mères. Venues de l'autre côté de la mer, elles avaient formé à l'est, au bord de l'eau, un grand village. C'est à ces ancêtres que l'on doit la création de toutes les choses et ce sont elles aussi qui firent les "calihuei" (grandes maisons). C'est ici, dans celle-ci, que se trouvait notre mère-colombe-maïs Kukurú. À cette époque, les gens ne mangeaient pas de maïs parce qu'ils ne le connaissaient pas. La fourmi Atta le découvrit et commença à en voler à Kukurú. Le village où habitait Wátakamé voulut aussi avoir du maïs et les gens demandèrent aux fourmis où elles se le procuraient, mais celles-ci refusèrent de leur dévoiler l'endroit.

Wátakamé s'en fut avec les fourmis Atta chercher du maïs, mais la nuit, alors qu'il dormait, elles lui mordirent les paupières et il ne put plus voir. Alors, la colombe Kukurú le conduisit jusqu'à la maison du maïs. Wátakamé informa la maîtresse de maison, qui se trouvait à être le maïs, des raisons qui l'avaient amené là. La mère-maïs avait cinq filles. Elle leur demanda d'aller avec Wátakamé, mais aucune n'accepta. Wátakamé se dit en lui même: "Je viens pour du maïs et on me donne une jeune fille!", mais il revenait toujours et la cinquième fois, Uka Iku, l'aînée, accepta. La mère avertit Wátakamé: "Amène-la, mais ne lui fais pas moudre de maïs ni cuire de 'nixtamal'[9] pendant cinq ans; ta mère doit faire ce travail. Tu dois lui donner à manger des 'tortillas' et lui faire boire de l'eau au chocolat. Tu construiras un 'calihuei' où vivra ma fille. À la sixième année, elle pourra travailler tout ça."

Wátakamé fit ce qu'on lui avait recommandé, et le maïs apparut dans la maison et dans le village. La mère de Wátakamé travaillait avec joie, mais au bout de la quatrième année, lorsque Wátakamé commença à labourer et à semer le

---

9. Maïs à demi cuit dans de l'eau de chaux, utilisé pour faire des «tortillas».

"coamil"[10], la belle-mère de Uka Iku lui dit: "Ton époux est en train de travailler avec plusieurs personnes et toi, tu ne prépares pas de 'tortillas': que va-t-on leur donner à manger?" La jeune fille sortit le maïs, mit le "nixtamal" et quand elle se mit à moudre, elle commença à saigner: elle était en train de se moudre elle-même. La belle-mère lui dit: "Cesse de travailler", et la jeune fille s'en fut chez elle.

Lorsque Wátakamé revint des champs, il ne trouva chez lui ni sa femme ni le maïs. Il gronda sa mère et s'en fut retrouver son épouse dans sa famille, mais ses parents refusèrent de la lui redonner, se contentant de lui vendre du maïs de cinq couleurs en l'avertissant qu'il aurait à en semer pendant cinq ans et que ce n'était pas du vrai maïs, mais que s'il continuait à le semer, après la cinquième année il pourrait récolter du vrai maïs.

Wátakamé voulut apprendre aux Huichols à travailler la terre; voilà pourquoi ils la travaillent encore aujourd'hui. "Si la mère de Wátakamé n'avait pas disputé sa bru, certaines femmes pourraient donner du maïs et nous, les hommes, ne serions pas obligés de travailler la terre, ni de semer."»

Wátakamé rencontre Nakawe

«Wátakamé était sage dès la naissance; quand il travaillait, il priait: il demandait de la pluie, parlait avec nos mères de la terre, Tatei Yurienaka et Takutzi Nakawe, leur disant: "Vous qui entourez tout ce qui existe, voyez ce que je fais devant vous, ce que vous nous avez montré; je prie pour que vous protégiez mon travail, car il ne dépend plus de moi, sinon de vous, nos mères de la terre qui savez tout, qui pouvez tout. Je te demande aussi ton aide, cerf, notre frère aîné."

Un jour, le seigneur Wátakamé, l'agriculteur, défricha pendant toute une journée et s'en revint chez lui dans l'après-midi. Le lendemain, il retourna au champ et trouva la terre comme s'il ne l'avait jamais défrichée. La même chose

---

10. Le coamil désigne, en Mésoamérique, les brûlis forestiers où l'on fait l'agriculture itinérante.

se répéta pendant plusieurs jours, et le cinquième jour, il se cacha pour voir ce qui se passait. Il vit alors apparaître une petite vieille au milieu du terrain qui indiquait, de son bâton, le nord, le sud, l'orient et le couchant. Alors, les arbres qui avaient été abattus se redressaient et la forêt se formait à nouveau. Wátakamé courut rencontrer la petite vieille et, fâché, lui dit qu'elle était en train de se moquer de son travail et il la menaça de sa machette. Nakawe s'identifia comme étant la mère de la terre et lui dit que d'ici cinq jours, l'eau de la mer monterait jusqu'à toucher le bleu du ciel, et que tous les gens disparaîtraient et mourraient. "Prépare-toi un canot de bois de ficus et embarque-toi avec cinq tiges de citrouille, des grains de maïs, de haricots et de courges, de même qu'avec une petite chienne noire." Le cinquième jour, Nakawe couvrit le canot et s'installa par-dessus. La mer commença à monter et le canot, à flotter. Nakawe se dirigea, chaque année, vers un nouveau point cardinal, en y faisant brûler une tige de citrouille pour s'éclairer. Au bout de cinq ans, ils se retrouvèrent à nouveau au centre et le canot s'y immobilisa. Le sixième jour, ils débarquèrent du canot et Nakawe dit à Wátakamé: "Tu peux maintenant t'établir ici pour semer." La vieille creusa des rigoles avec son bâton pour assécher la terre et pour faire descendre l'eau vers les cinq mers. Voilà comment se formèrent les fleuves et les rivières qui existent dans le monde. Wátakamé se rendait cultiver tous les jours et, à son retour, il trouvait des "tortillas" et de la nourriture. Nakawe lui fit savoir que la petite chienne était, en fait, une femme et que lorsque celle-ci s'enlèverait la peau pour travailler, il aurait à brûler la peau et à lui donner un bain de "jatumari" (maïs cru moulu, dissous dans de l'eau). Le cultivateur se cacha et fit tout ce qui avait été prévu. Voilà comment on repeupla le monde.»

D'autres versions du même mythe mentionnent que les rivières et les ravins ont été creusés par les oiseaux avec leur bec et que les perroquets étaient de la partie.

Religion

On peut dire aujourd'hui que le groupe huichol n'est pas un groupe chrétien. Conquis par les Espagnols en 1722, les Huichols ont toujours rejeté ce qui leur était étranger et leur paraissait étrange. Encore aujourd'hui, ils pratiquent très peu de rites catholiques. On remarque au sein du groupe quelques syncrétismes, par exemple le fait qu'ils identifient le feu Tatewari à saint Sébastien, de même que «Notre Mère Aigle jeune fille, Tatei Werica Wimari» à la Vierge de la Guadeloupe. En revanche, ils pratiquent leurs croyances traditionnelles naturalistes avec plus de ferveur religieuse.

Les membres du groupe huichol utilisent encore certains systèmes idéologiques traditionnels d'origine préhispanique. On observe ces derniers dans des rites et cérémonies religieuses traditionnels célébrés dans des lieux sacrés, tels les temples traditionnels, appelés «tukipa», ou les grottes jouxtant les ravins, les sources, les ruisseaux et rivières des montagnes, les lacs et même la mer, à l'extérieur du territoire huichol.

Cette religion traditionnelle se pratique dans le temple que firent bâtir, dès les premiers temps de l'humanité, les premières divinités. Il existe dans les cinq communautés huicholes, selon nos enquêtes, dix-neuf temples.

Dans la cour de ces temples et à l'intérieur du «tuki» (temple principal) se déroulent les fêtes les plus belles et les plus importantes aux yeux de la communauté.

Ces fêtes, très anciennes, sont apparues alors que la présence animale s'enracinait peu à peu dans la vie huichole pour expliquer les phénomènes naturels; des comportements humains et des structures religieuses se sont formés au contact de cultes et de rituels où se faisaient des prières et des sacrifices. On vit, en outre, apparaître des individus préoccupés par ces fonctions amenant à sacraliser et à diviniser des êtres naturels, tout comme on établit certains lieux consacrés au culte. On créa ainsi un autre système religieux social: le totémisme, qui relie l'homme aux animaux et leur accorde, selon les croyances, un rôle de premier plan comme protecteurs de la communauté.

L'attitude du Huichol face aux animaux

Les Huichols connaissent tous les animaux souterrains, terrestres, aquatiques et aériens qui peuplent leur environnement. S'ils ne les connaissent pas avec les caractéristiques de la classification de Linné, ils savent, par contre, faire la différence entre ceux qui sont bénéfiques et ceux qui sont nuisibles. Ils savent aussi quels animaux sont utilisés dans leur alimentation domestique ou rituelle, lesquels sont, selon leurs mythes, leurs alliés dans le développement de leur culture, ou encore ceux qui ont été les protecteurs de l'homme. Le Huichol a une attitude respectueuse qui se vérifie au moment de la capture ou du sacrifice de certains animaux. Il leur demande pardon de les avoir capturés ou de s'apprêter à les sacrifier, en leur disant que ce sacrifice est nécessaire pour que l'univers continue son évolution en harmonie avec l'homme; il leur fait part de cela en observant la peur que manifestent les animaux, déjà contrôlés par la volonté humaine.

Le cerf

Il existe quelques variétés de ce cervidé, comme le cerf à queue blanche (*Odocoileus virginiaruis*), le «bura» cerf-mulet (*Odocoileus hemorius*) et le «temazate» (*Mazama americana*).

Traditionnellement, le Huichol chassait le cerf avec un arc et des flèches. Plus tard, lorsqu'il connut mieux ses déplacements et son astuce, le Huichol mit au point, de façon ingénieuse, un filet de forme rectangulaire appelé «piège aux lassos». Ce dernier est placé sur le passage du cerf. Une fois pris dans le filet, le cerf cherchant à se dégager en bougeant, ses bois deviennent prisonniers des nœuds coulants, tandis qu'à l'autre extrémité des cordes on a attaché un tronc d'arbre qui restera retenu par les roches ou par d'autres obstacles naturels, amenant le cerf à s'immobiliser.

On utilise aujourd'hui, pour chasser le cerf, des fusils de 22 mm de calibre; le Huichol se les procure chez les villageois métis des environs.

Culotte d'homme. La femme huichole brode l'image du cerf avec du fil de couleur en signe d'adoration et de prière. Jalisco.
(Collection et photo: Musée national d'anthropologie de Mexico.)

Le cerf est chassé pour être utilisé à des fins matérielles et cérémonielles. On se sert de la peau du cerf pour recouvrir le «tepu», un tambour qui ne peut être joué que par le chaman Mara'akame, intermédiaire entre l'homme et les divinités. On joue de ce tambour lors de certains rites spécifiques telle la fête du tambour et de l'«elote» (épi de maïs vert).

L'image du cerf est brodée avec du fil de couleur pour orner des vêtements masculins et féminins, portés par les Huichols, ou vendus, comme articles d'artisanat, dans les villes mexicaines.

Rituels

Le cerf est un animal sacré, divinité principale de la religion huichole. Selon les mythes, il est le fils ou le frère du Soleil.

Le Soleil a désigné «Pálicata» pour être le patron de la chasse au cerf.

C'est le Soleil qui ordonna la chasse sacrée pour que les Huichols puissent donner en offrande du sang et de la soupe de cerf à l'occasion de cérémonies comme celle qui vise à préparer le sol pour recevoir les semences.

On enduit de sang de cerf les objets cérémoniels afin de les revitaliser et renforcer leurs pouvoirs magiques. Si, après trois

Danse du cerf-peyotl-maïs, huichol.
(Photo: Musée national d'anthropologie de Mexico.)

jours de chasse, on n'a attrapé aucun cerf, on fait un jeûne et si, malgré le jeûne, on n'attrape toujours rien, on peut dès lors utiliser du sang de poisson.

Le père Soleil ordonna aussi le pèlerinage à Wirikuta, à San Luis Potosí, pour que les pèlerins «peyoteros» (ceux qui ramassent le peyotl[11]) aillent y faire la cueillette du cactus sacré après s'être soumis à des rites de purification, pour arriver en ce lieu sacré lavés de tout péché, et pour en revenir également sacrés. Trois mois après leur retour de voyage, entrepris en avril ou en mai, les pèlerins mangent un peyotl qui est comme le cerf, fils du Soleil; le rite a pour effet de leur retirer leur caractère sacré. Au cours de cette fête, ils font la danse du cerf-peyotl-maïs en frappant fortement le sol de leurs pieds pour être entendus des dieux qui vivent au fond de la mer; en même temps, ils nettoient le «coamil» (terrain réservé à la culture) pour compléter le cycle cerf-peyotl-maïs. Après avoir accompli ces rites, les pèlerins du peyotl qui sont allés à Wirikuta, Real del Catorce, peuvent de nouveau avoir des contacts avec leurs épouses.

L'aigle

On retrouve, dans les montagnes habitées par les Huichols, différents oiseaux de proie dont l'aigle royal (*Aquila chrysætos*), le faucon (*Falco sp.*) et l'épervier (*Accipiter sp. j. Buter sp.*), prisés pour les pouvoirs que leur attribuent les gens de la communauté. Ainsi, l'aigle est rattaché au soleil et le représente parce qu'il vit dans le ciel.

On chasse l'aigle avec un arc et des flèches, ou encore avec un fusil ou une carabine.

On utilise les plumes de ces oiseaux pour fabriquer les «muvieris» (bâtons emplumés) du chaman.

L'aigle est sacré. On l'appelle «Tatei», «Werica Wimari» («Notre Mère jeune fille»). Selon le mythe, le Soleil ordonna aux mineurs américains de Real del Catorce d'estamper la mère aigle sur les pièces de monnaie d'argent. L'argent américain se rattache donc fortement à la tradition huichole.

---

11. Le peyotl est un cactus hallucinogène.

Dans le temple du Soleil, on place des plumes d'aigle ou d'autres oiseaux pour que les dieux puissent entendre les prières des gens.

Le serpent

Même s'il existe plusieurs variétés de serpents, les Huichols les identifient à des fins rituelles selon deux catégories: les serpents à sonnettes, ou crotales, et les serpents sans sonnette. Les Huichols croient voir des serpents partout; la ceinture qui ajuste le pantalon, les cours d'eau, la mer, etc.: pour eux, ce sont tous des serpents.

Le seul cas de capture de serpent que nous connaissions est celui du serpent-cerf (un type de couleuvre brune) que les femmes saisissent avec les mains.

La femme huichole attrape le serpent-cerf avec ses mains et se frotte le corps avec l'animal pour devenir bonne couturière.

Comme l'aigle, le serpent à sonnettes est un animal du soleil; il intervient dans plusieurs mythes.

Le serpent sans sonnette représente plutôt les dieux de la pluie, de la terre, de la fertilité; il intervient dans certaines actions de ces divinités.

Chapitre 4

Rituel de puberté,
apache de l'Ouest.
Linette Anderson est agenouillée
en plein soleil pour incarner la divinité
«Femme Changeante».
(Collection et photo: Arizona State Museum.)

LE RITUEL DE PUBERTÉ DES JEUNES FILLES CHEZ LES APACHES DE L'OUEST*

Diane Dittemore, conservatrice
Arizona State Museum, Tucson

La jeune fille, une plume d'aigle dans les cheveux, une lanière de cuir au cou, le poncho de daim sur sa robe, est prête à devenir une femme. Durant quatre jours, l'initiée est amenée à personnifier la divinité apache «Femme Changeante».

Les Apaches de l'Ouest sont ces groupes d'Indiens, comprenant les bandes de Tonto, White Mountain, Cibecue et San Carlos, dont le territoire traditionnel faisait partie de l'actuel État d'Arizona. On les distingue des Chiricahua (appartenant au groupe culturel des Geronimo) ainsi que des Apaches Mescalero et Jicarilla du Nouveau-Mexique. Les Apaches de l'Ouest vivent aujourd'hui dans la partie centre-est de l'Arizona, dans deux grandes réserves – Fort Apache et San Carlos – ainsi que dans la petite réserve de Tonto, située près de la ville de Payson. Quelques Apaches vivent aussi à Camp Verde, dans une réserve qu'ils partagent avec les Yavapais. La population totale de la tribu s'élève à quelque 20 000 habitants.

Les Apaches de l'Ouest parlent l'athapascan du Sud, tout comme leurs voisins les Navaho. Cette langue les relie aux Athapaskan du Nord, de l'Ouest du Canada et du Nord-Ouest des

---

* Traduit de l'anglais.

États-Unis. Les Apaches se donnent entre eux le nom de «Ndee» («le peuple»).

Les anthropologues s'entendent généralement pour situer l'arrivée du peuple apache dans le Sud-Ouest entre le XIVe siècle et le début du XIXe siècle, soit peu avant le passage de Coronado dans la région, en 1540.

Plusieurs traits culturels des Apaches observés au moment des premiers contacts importants avec les Blancs, vers la fin du XIXe siècle, leur avaient été transmis par les groupes les plus sédentaires parmi ceux de la culture Pueblo de l'Ouest, dont les Hopi et les Zuni. Parmi ces traits, mentionnons la culture du maïs, quoique à un degré limité, une organisation matrilinéaire, des éléments religieux tels les danseurs masqués et la peinture sur sable, ainsi que l'identification clanique au moyen de noms d'animaux dont l'Aigle, l'Ours, le Coucou terrestre et le Papillon.

Les animaux jouaient un rôle très important dans l'univers apache. Avec les végétaux et d'autres éléments du monde naturel, ils détenaient des pouvoirs bénéfiques ou maléfiques. Ainsi, un homme devait avoir le Pouvoir de l'Ours pour être capable de tuer un ours. De même, les chasseurs qui avaient le Pouvoir du Cerf étaient ceux qui remportaient le plus de succès. Mais ce pouvoir pouvait aussi conduire à la maladie. Ainsi, une femme qui gâchait la peau d'une capture s'exposait à contracter la Maladie du Cerf, tout comme quiconque en faisait bouillir l'estomac ou séparait la queue de l'animal du reste de sa peau.

Un des rituels les plus importants des Apaches de l'Ouest est la cérémonie pratiquée au moment de la puberté des jeunes filles et qu'ils nomment «Na'i'es». Durant les quatre jours de l'événement, une jeune fille est amenée à personnifier la divinité apache «Femme Changeante» et, ce faisant, acquiert un pouvoir qui lui garantit une longue vie fertile.

D'autres groupes apaches pratiquent des cérémonies de puberté semblables en plusieurs points aux traditions des Apaches de l'Ouest.

Aucune cérémonie comparable n'est pratiquée pour les garçons. Cependant, les Apaches attribuent à ces derniers des pouvoirs spéciaux lorsqu'ils partent pour la première fois en expédition.

Les animaux jouent un rôle marquant dans la cérémonie de puberté, tout particulièrement le cerf et l'aigle. Jusqu'à la fin du XIXe siècle, le costume porté par la jeune fille, soit une jupe et une cape, est confectionné en daim. Dès que les Apaches commencent à porter des vêtements de tissu, la jeune fille ne revêt plus qu'un poncho de daim par-dessus sa robe de tissu. Une plume d'aigle orne la chevelure de la jeune pubère. L'initiée utilise une canne décorée de plumes d'aigle et, souvent, d'un loriot mort. Elle porte autour du cou une lanière de cuir à laquelle sont attachés, au moyen de tendons, un grattoir et une paille. Ces accessoires lui sont utiles puisque pendant les quatre jours que dure la cérémonie, la jeune fille n'est pas autorisée à se toucher ni à porter de contenant à ses lèvres.

La plume d'aigle dans les cheveux est pour assurer que la jeune fille vive en santé jusqu'à ce que ses cheveux deviennent aussi blancs qu'elle. La canne est aussi un symbole de longévité car elle pourra l'aider à marcher lorsqu'elle sera vieille. Quant au loriot mort, il permettra à la jeune fille de développer un bon tempérament, car les Apaches prétendent que les loriots sont des oiseaux heureux.

Un autre élément important du rituel est cette grande peau de daim sur laquelle la jeune fille danse pendant la cérémonie pour s'assurer d'abondantes provisions de cerf tout au long de son existence. À une certaine étape du rituel, elle s'agenouille sur la peau de daim, dans la position où se trouvait la «Femme Changeante» au moment d'avoir ses premières menstruations. C'est également dans la position agenouillée que la «Femme Changeante» se fit féconder par le Soleil, après quoi elle donna naissance au héros «Tueur de Monstres», ainsi que par l'Eau, ce qui l'amena à donner le jour à «Né de l'Eau». Finalement, la jeune fille s'allonge sur la peau de daim pour recevoir un massage rituel de sa marraine de cérémonie, un acte qui lui donnera la force nécessaire pour marcher longtemps, transporter de lourds fardeaux et ne jamais ployer sous le poids des années.

Autrefois, la peau de daim était une façon courante de rémunérer le chaman qui dirigeait la cérémonie.

La robe de daim portée pour le rituel de puberté est décorée de breloques de métal. Des galons de broderies perlées sont souvent ajoutés comme garniture au bas de la jupe et du poncho. Certaines parties ou l'ensemble du vêtement peuvent être colorés en jaune avec de l'ocre.

La peau doit traditionnellement provenir d'un cerf à queue noire; on fixe la peau d'une patte au bas de la cape pour montrer qu'on a utilisé le bon type de cerf. Vers les années 1850, les boîtes de conserve ramenées des raids effectués au Mexique constituaient la principale source de fer-blanc. Lorsqu'une bande se cachait, on se passait des breloques pour ne pas alerter l'ennemi.

C'est la mère de la jeune fille qui fait les démarches pour acheter la peau nécessaire à. la confection du vêtement. On donne souvent à la couturière des peaux supplémentaires en guise de paiement. Il faut trois peaux pour la cape et trois autres pour la jupe. La taille des franges demande énormément de temps. Une femme racontait dans les années 1930 qu'elle avait payé un garçon cinquante sous pour qu'il l'aide à tenir une peau durant une demi-journée, alors qu'elle y découpait les franges.

Costume pour le rituel de puberté, apache de l'Ouest. Linette Anderson avant le début de la cérémonie, vers 6 h 30 du matin. (Collection et photo: Arizona State Museum.)

Après la cérémonie, la jeune fille peut continuer de porter sa robe aussi souvent qu'elle le désire jusqu'à son mariage ou sa première grossesse, après quoi elle s'habille plus modestement. Elle peut garder en sa possession la robe comme porte-bonheur, ou encore en faire profiter une jeune sœur ou une proche parente.

Il n'est pas rare de voir une famille louer d'une autre famille une robe, lorsqu'elle n'a pas les moyens de s'en faire faire une. À plusieurs reprises au cours de la cérémonie, des groupes de danseurs masqués font leur apparition. Par groupes de cinq, ils personnifient Gan, les «Esprits des Montagnes», vivant en montagne dans des grottes. Ils viennent apprendre au groupe à suivre la Voie apache et peuvent être implorés pour apporter la guérison, la bonne fortune à la chasse (le cerf est l'animal d'élevage des esprits Gan) et la protection en général. Leur présence à la cérémonie contribue à l'efficacité du rituel.

Les danseurs Gan portent une coiffe de bois en forme d'éventail fixée à un capuchon. Jusqu'à la fin du XIXe siècle, les capuchons sont en daim; on les remplace ensuite par des capuchons en tissu. Les coiffes, confectionnées à l'aide de tiges de sotol (une plante), sont blanchies à la chaux puis peintes de divers symboles. Parmi ces symboles, on retrouve le colibri, messager du peuple et du monde surnaturel, le soleil et la pluie, de même que, très souvent, le serpent associé à la foudre.

Certaines espèces de serpents, les unes vivant sur terre, les autres imaginaires, volent juste au-dessous du ciel avec le porc-épic, le lézard et la mouffette. Certains de ces animaux amènent la foudre, dangereuse. Un grand serpent du monde terrestre échange avec un éclair au-dessus de lui, au sujet de certains événements survenus sur terre.

On attribue au serpent un très grand pouvoir et les chamans qui ont le Pouvoir du Serpent sont considérés comme étant les plus puissants.

Les danseurs entrent en scène vêtus d'une jupe courte, autrefois faite en peau de daim, mais aujourd'hui faite de tissu ou de cuir commercial. On retrouve sur leur torse divers motifs peints rattachés au thème de la foudre; ils dansent en s'appuyant sur des bâtons de bois. Un des danseurs Gan est un clown. Il porte une coiffe en forme de croix et possède une corne de bœuf dont le bruit rappelle le vent.

Les avantages du rituel de puberté des jeunes filles s'étendent bien au-delà de l'individu. En effet, ce rituel donne aux clans l'occasion de se réunir et de consolider leurs liens. Comme la marraine de la jeune fille ne fait pas partie du même clan, le rituel permet également de tisser des liens avec des membres d'autres clans. De plus, l'identification à la «Femme Changeante» vécue par la jeune fille pendant quatre jours, donne à cette dernière des pouvoirs de guérison et d'apport de bonne fortune qui profitent à la communauté dans son ensemble.

De nos jours, des rituels de puberté s'organisent toutes les fins de semaine dans plusieurs localités, d'avril à septembre. Edgar Perry, directeur du centre culturel White Mountain, à Fort-Apache, se réjouit de constater à quel point ce rituel a conservé toute sa vitalité. «C'est notre tradition. Ma mère, âgée de 75 ans, a eu sa cérémonie, et sa mère avant elle. Nous savons qu'il est bon de bénir la jeune fille pubère et sa famille. C'est bon pour elle, et ça l'est pour nous.»

RÉFÉRENCES

BASSO, Keith. *The Gift of Changing Woman*, Anthropological Papers 76, Bureau of American Ethnology, bull. n° 196, Washington, D.C., Smithsonian Institution, 1966.

GOODWIN, Grenville. «White Mountain Apache Religion», *American Anthropologist,* 40 (1), 1938: 24-37.

Lectures suggérées

BASSO, Keith. *The Cibecue Apache,* New York, Holt, Rinehart & Winston, 1970.

FERG, Alan, dir. *Western Apach, Material Culture: the Goodwin & Guenther Collections*, Tucson, Arizona State Museum, 1987.

GOODWIN, Grenville. *The Social Organization of the Western Apache,* Chicago, University of Chicago Press, 1942.

MAILS, Thomas E. *The People Called Apache*, Englewood Cliffs, New Jersey, Prentice Hall, 1974.

Chapitre 5

Indien chippewyan à cheval.
(Photo: Musées nationaux du Canada.)

HÉ KEMO SABE! SAIS-TU QUI EST LE «GRAND CHIEN»*?

Gerald McMaster (Cri des Plaines),
conservateur de la collection
d'art indien contemporain
Musée canadien des civilisations, Hull (Québec)

> **Au cheval** étaient rattachées la richesse, la valeur et la liberté chez les Cris des Plaines. C'était par le cheval que l'on évaluait le prestige d'une personne.

«*Certaines batailles doivent être menées, certains poneys doivent être volés, certains coups doivent être comptés... certaines visions doivent être vues à nouveau et certaines voix provenant de l'au-delà doivent être entendues.*»

(Black Elk)

Hé ho Silver! Partons...

C'est ainsi que j'ai été initié au monde des chevaux. Ces quelques mots singuliers évoquaient chez moi bien des idées. Idées de vitesse, de puissance et de liberté. Mon imagination débordante était fortement stimulée chaque fois que j'entendais cette rengaine en écoutant les émissions matinales du samedi sur les «cow-boys et les Indiens», à la fin des années 1950. À cela s'ajoutait l'excitation ressentie lorsque je regardais les images en trois dimensions de ces glorieux «chevaliers de western» montant des chevaux argentés, noirs et pie.

---

* Traduit de l'anglais.

Hue!

En écoutant ces émissions radiophoniques et en lisant ces bandes dessinées en couleurs, j'ai acquis un langage «western» particulier que j'utilisais en parlant des chevaux et en m'adressant à mes amis. J'ai grandi dans la «réserve»[1] de Red Phesant, la majeure partie du temps sous le regard vigilant de ma nokum (grand-mère). Ces jours anciens étaient merveilleux. Je me souviens avoir été encouragé à connaître la terre et les animaux.

> «[Les Indiens des Plaines] acceptaient tous les animaux en tant qu'êtres vivants possédant leurs propres caractéristiques et ne se croyaient supérieurs en aucune façon.»
>
> (Norman Bancroft-Hunt)

Des trois animaux dont je me souviens clairement (les oiseaux, les lézards et les chevaux), ce sont les oiseaux qui étaient les plus abondants et les plus présents. Lorsque nous étions enfants, nous pouvions imiter le chant et les mouvements de presque tous les oiseaux. Comme nous vivions près d'un grand marécage, il y avait également un grand nombre de lézards, fort intéressants. J'en ramenais souvent à la maison, ce qui déplaisait à tout le monde. Les lézards étaient de petits êtres vivants inoffensifs. Ma fille en a d'ailleurs un comme amulette. Mon plus beau souvenir est de loin celui de mon cheval. À cette époque, très peu de familles avaient les moyens de s'offrir une automobile, et encore moins de la garder. Les chevaux, quant à eux, nécessitaient un autre type d'entretien et ne requéraient aucun permis de conduire. Mon unique préoccupation, mis à part le fait de mesurer 1,5 mètre et de me trouver sur un cheval de taille adulte, était d'apprendre à monter. Je dois reconnaître que

---

1. Je mets le mot «réserve» entre guillemets pour illustrer l'ironie de cette invention. L'intention du gouvernement était de contrôler les nomades équestres des Prairies et leur envie de découvrir le monde. Le mouvement métis a été bâillonné de la sorte par un gouvernement qui insistait sur le fait que si l'on donnait des terres aux métis, ceux-ci devaient y rester et y travailler. Toutefois, les métis pouvaient faire bien plus que rester à la maison et regarder pousser les récoltes. La création des «réserves» a donné aux autochtones une liberté énorme dans le contexte de notre société moderne.

je ne suis pas «né sur un cheval». Mes ancêtres ont sûrement hoché la tête.

«Le cheval était devenu la prolongation de l'homme: il existait entre l'animal et le cavalier une unité que l'Indien était loin d'ignorer.»

(Norman Bancroft-Hunt)

Bon nombre d'enfants de la «réserve» ne pouvaient se voir sous les traits de jeunes guerriers éternels, dont l'exemple était Tonto. En fait, le Lone Ranger, son Kemo Sabe, était plus attirant. Cette époque fut brève. Le beau cheval noir auquel j'étais si attaché fut récupéré par son propriétaire.

«Pour un guerrier, c'était un affront énorme à son prestige et à sa fierté que de voir son cheval préféré, qu'il avait parfaitement dressé, littéralement enlevé de chez lui. De plus, sa capacité à chasser et à se battre se trouvait ainsi sérieusement diminuée.»

(Norman Bancroft-Hunt)

Toutefois, je garde de cette expérience un souvenir tendre et durable. La situation est la même avec Tonto, qui s'est racheté à nos yeux. Pour tous les autochtones, il est mort en héros. Quant au Lone Ranger, le moins que l'on puisse dire c'est qu'il avait des problèmes d'identité l'empêchant de renoncer à son alter ego.

Le Grand Chien

Les autochtones des Plaines appelaient le cheval de différentes façons: le Chien spirituel, le Chien sacré, le Grand Chien, le Chien-orignal ou le Chien-sorcier. Tout d'abord, les Siksikas (Pieds-Noirs) appelèrent le cheval «Grand Chien» puis, plus tard, changèrent ce nom pour Chien-orignal, ou Panokamita, car il était de la taille d'un orignal. Quant aux Oglalas (Sioux), il l'appelaient Shunka-'kan. Les Nehiawuks (Cris des Plaines) l'appelaient Mistatimuk, ou Grand Chien.[2]

---

2. David G. Mandelbaum affirme que les Cris des Plaines avaient 25 façons différentes d'appeler les chevaux, selon leur robe.

D'après les archéologues, l'ancêtre du Grand Chien a existé en Amérique du Nord il y a des milliers d'années. Il a disparu graduellement pour réapparaître sous la forme d'un animal plus grand, comme par magie. Pourquoi cet ancien cheval américain n'était-il pas plus grand ou plus fort? Quelle a été la cause de sa disparition?

L'ancien cheval américain est-il immémorial? Ou plutôt est-il immémorial dans les images, les mythes et le langage autochtones? Les images peuvent être révélées ou non. Les mythes sur le cheval sont énigmatiques, mais ils existent. D'après Brasser, certains mythes décrivent le cheval comme un cadeau de la tempête ou encore, selon d'autres traditions au sein des mêmes tribus, le cheval serait issu du monde souterrain. D'autres versions sur l'origine du cheval sont nées d'expériences et de souvenirs personnels et sont plus récentes. Le langage pourrait-il alors être la clé de l'origine du cheval? Pourrait-on expliquer par l'étymologie pourquoi le terme utilisé pour désigner le petit animal canin est également utilisé, dans certaines langues autochtones, pour désigner le cheval?

Selon les archéologues, un animal à sabots fendus, de la taille d'un chien, aurait existé il y a des milliers d'années. Pourrait-il avoir été le «chien», la «bête de somme» de nombreux peuples autochtones? Comment se fait-il que plusieurs tribus ont appelé le cheval «Grand Chien» lorsqu'il est réapparu en Amérique? Le mot «chien», au cours des millénaires, a-t-il simplement désigné un animal d'une taille précise? Cela reste un mystère. Peut-être devrions-nous croire les mythes, comme le font les autochtones.

Autrefois, le cheval incarnait le mouvement et la transformation aux yeux des autochtones des Plaines. Il permettait de grands mouvements de masse jusqu'alors impossibles. Lorsqu'il a réapparu, le cheval, offrant des possibilités de mouvement infinies, a été immédiatement accepté, particulièrement à une époque où des problèmes d'interaction survenaient avec l'arrivée des colons, des cow-boys, des chercheurs d'or, des chasseurs de bisons, des trafiquants de whisky et des militaires. Grâce à leur mode de vie nomade, les autochtones ont pu se tenir à une distance respectable.

En raison du manque ou de l'absence de compréhension entre les autochtones et les Européens, le cheval devint un intermédiaire et un allié important pour les deux groupes. Tous étaient conscients de la puissance du cheval et le contrôle de ce dernier devint une forme évidente de masculinité, de bravade et d'arrogance. Ces notions ont plus tard été traduites par les nombreuses guerres et manœuvres militaires. En fait, il était facile pour l'homme du XIXe siècle de comprendre rapidement ces notions.

Quelle était la signification culturelle du cheval dans les structures complexes de la vie autochtone? Comment expliquaient-ils la venue ou le retour de cet animal dans leur cosmologie? Était-il perçu comme un être spirituel, comme bien d'autres animaux?

«[...] la contradiction entre les mythes sur l'origine du cheval provient du fait que les tentatives de classement du cheval dans le monde des autochtones ont été plutôt vaines. Les chiens et les chevaux étaient les esclaves de l'homme, contrairement aux animaux «purs», associés aux esprits.

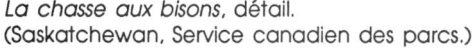

La chasse aux bisons, détail.
(Saskatchewan, Service canadien des parcs.)

Toutefois, dans une certaine mesure l'admiration et l'amour que les Indiens éprouvaient pour le cheval étaient suffisamment forts pour contrer les objections philosophiques.»

(T.J.C. Brasser)

«Dans le monde religieux et cérémonial [des Cris des Plaines], le cheval avait peu d'importance. La puissance de l'esprit du cheval n'était pas aussi grande que celle du soleil, de la tempête, de l'ours ou du bison.»

(David G. Mandelbaum)

Un ancien Sioux bien connu, Black Elk, donne probablement la meilleure explication de la façon dont le cheval était accepté dans la métaphysique autochtone lorsqu'il raconte la vision qu'il a eue dans son enfance.

Indien cri chassant.
(Alberta, Service canadien des parcs.)

Hé Kemo Sabe! Pourquoi as-tu toujours la meilleure part?

Comme tous les grands héros, le Lone Ranger était calme et indifférent. Dans la réalité du «Far West», il défendait la loi et l'ordre devant les vauriens de toutes sortes. Quant à son copain Tonto, aussi détaché et impassible, il était toujours d'accord et prêt à aider les autres. Curieusement, il aidait la justice à arrêter les voleurs de chevaux. Pourquoi Tonto ne disait-il pas à son Kemo Sabe qu'aux yeux des Indiens, le vol de chevaux était un acte honorable et héroïque?

«Chez les Cris des Plaines, c'était par le cheval que l'on évaluait le prestige d'une personne, que l'on acquérait richesse, valeur et liberté. Dans ce système social, la façon légitime de se procurer un cheval était de le voler à une tribu ennemie.»

(David G. Mandelbaum)

Le Lone Ranger, extrêmement confus et exténué, aurait estimé que son existence était vaine. Ces héros modernes, contrairement aux sorciers tribaux, ne sont pas immortels, mais immortalisés. Les valeurs et les croyances de l'homme moderne, si éphémères qu'elles soient ou qu'elles pouvaient être, brisent cette fragile façade en pensant que c'est sans importance. Mais est-ce important?

Vers 1880, la disparition des bisons obligea la plupart des aborigènes à vivre dans les «réserves».

«La vie des Indiens changea radicalement à partir du moment où ils commencèrent à vivre dans des «réserves». Alors qu'ils avaient été fiers d'être de bons chasseurs apportant de la nourriture en abondance à leur famille, ils n'avaient plus de chevaux ni de fusils et ne pouvaient même pas quitter la «réserve» pour chercher du gibier. De toute façon, cela n'avait aucune importance puisque les bisons, les orignaux et les antilopes avaient disparu.»

(Richard Erdoes)

Curieusement, le vol de chevaux ne cessa pas. Il continua à un point tel que les agents des Indiens passaient leur temps à enregistrer les plaintes des colons s'étant fait voler leurs bêtes. Il est difficile de se débarrasser des vieilles habitudes!

En 1894, un artiste américain, James Earle Fraser, réalisa la sculpture d'un guerrier des Plaines vaincu, montant son poney épuisé, et l'intitula *End of the Trail* (la fin de la piste). Il en fit ensuite une sculpture grandeur nature, en plâtre, dans le cadre de la Panama-Pacific International Exposition, présentée à San Francisco en 1915. En 1929, le même modèle, en bronze cette fois, fut inauguré à Waupun, au Wisconsin. Le maire de la ville déclara alors que la sculpture était plus qu'une œuvre d'art et qu'il était approprié de l'ériger à Waupun, qui signifie «point du jour» dans certains dialectes algonquins, car on illustrait ainsi le début et la fin de l'époque indienne.

Certaines notions du XIXe siècle, par exemple la fin des Indiens (*Vanishing Indian*) et la fin de la piste, ont contribué à marginaliser les autochtones. Le reflet ironique de ces notions semble leur avoir profité, mais seulement pendant une courte période, avant la création d'Hollywood, qui a ressuscité l'image classique du noble «sauvage», de l'Indien chevauchant sa monture à travers les prairies, sauvage et insouciant. Il est difficile de se débarrasser des vieux stéréotypes!

Le Grand Chien a conservé une image respectable, peu importe le contexte dans lequel il se trouve. Nous cherchons aujourd'hui de nouveaux moyens de transport dans notre environnement urbain; le cheval pourrait-il redevenir le véhicule de tous les jours? Au fait, l'image du policier à cheval dans les rues de New York nous rappelle les bons vieux jours.

Hé ho Silver! Partons...

RÉFÉRENCES

BANCROFT-HUNT, Norman. *The Indians of the Great Plains*, Londres, Orbis Publishing, 1981.

BRASSER, T.J.C. «By the Power of the Dreams; Artistic Traditions of the Northern Plains», *The Spirit Sings*, Toronto, McClelland Stewart/ Glenbow Museum, 1987.

ERDOES, Richard. *The Sun Dance People: the Plain Indians, Their Past and Present*, New York, Random House, 1972.

EWERS, John C. the Blackfeet. *Raiders on the Northwestern Plains*, 2ᵉ édition, Norman, University of Oklahoma Press, 1961.

KRAKEL, Dean. *End of the Trail; The Odyssey of a Statue*, Norman, University of Oklahoma Press, 1973.

MANDELBAUM, David G. «The Plains Cree; an Ethnographic, Historical, and Comparative Study», *Canadian Plains Studies*, nᵒ 9, Regina, Canadian Plains Research Center, Université de Regina, 1979.

NEIHARDT, John G. *When the Tree Flowered; an Authentic Tale of the Old Sioux World*, Richmond Hill, Simon & Schuster, 1973.

Chapitre 6

Caribou.
(Ministère du Loisir, de la
Chasse et de la Pêche du
Québec. Photo: Fred Klus.)

LA SCAPULOMANCIE CHEZ LES ALGONQUIENS DU SUBARCTIQUE

Richard Dominique, anthropologue
Ministère de l'Enseignement supérieur
et de la Science du Québec

«Omoplate, omoplate, dis-moi ce que tu vois?» Les «pyrogravures» apparaissant sur l'omoplate d'un animal permettent aux Algonquiens de voir où se cache le gibier, de prédire l'avenir...

Beaucoup de peuples amérindiens partagent avec des ethnies asiatiques et européennes des pratiques divinatoires basées sur la manipulation des os des animaux. Un de ces rites, grandement partagé par les nations circumpolaires, est la scapulomancie. Cette technique consiste essentiellement à placer au-dessus de tisons ardents une omoplate d'animal jusqu'à ce que des brûlures et des fissures apparaissent sur l'os. Les configurations ainsi obtenues peuvent alors être interprétées et donner lieu à des prédictions se rapportant généralement au déroulement d'une chasse prochaine ou encore à des événements de la vie quotidienne. La vie, la mort, le succès, l'abondance, la famine, la maladie, la chance ou encore le malheur peuvent être décelés à travers les «pyrogravures» produites sur l'omoplate d'un animal.

Chez les Algonquiens du Subarctique, les principales espèces animales utilisées pour la scapulomancie sont le caribou, l'orignal, le cerf de Virginie, le castor, le porc-épic et le lièvre. D'autres os d'animaux sont également employés pour prédire l'avenir sans pour autant connaître le même traitement, ni avoir la même portée. Par exemple, les mandibules de certains poissons comme la morue, la rotule de l'ours noir, l'os pelvien et le tibia du castor, le crâne du rat musqué et du pic-bois ainsi que les os des pieds de la loutre permettent à l'occasion de se divertir tout en interrogeant l'avenir et l'inconnu.

La scapulomancie n'est pas l'apanage d'un spécialiste homme ou femme dans une communauté. Plusieurs adultes peuvent s'adonner à cette activité. En fait, la scapulomancie est un rite parmi d'autres comme le chant, le tambourinage ou la décoration d'objets personnels.

Toutefois, une distinction peut être observée en ce qui regarde les types d'omoplates. Le caribou, l'orignal et le cerf de Virginie ont une omoplate propice à la lecture et à l'interprétation des itinéraires de chasse au gros gibier. Pour cette raison, les chasseurs expérimentés et connaissant bien le territoire sont les plus habilités à manipuler l'omoplate de ces cervidés et à décoder la signification des craquements et des points figurant sur l'os chauffé.

Pour leur part, le castor, le porc-épic et le lièvre fournissent une omoplate davantage utilisée pour connaître les imprévus de la vie quotidienne et les conditions de vie qui prévaudront au cours des prochains jours. Bien que la majorité des adultes peuvent théoriquement recourir à cette pratique, certaines personnes sont socialement reconnues comme étant plus performantes et douées pour prédire l'avenir.

Au Subarctique, l'omoplate de caribou est sans contredit l'os le plus traditionnellement utilisé. Elle est obtenue lorsqu'on débite l'animal. Tout d'abord à l'aide d'un couteau, elle est nettoyée de la viande qui y est rattachée; puis, elle est bouillie quelques minutes afin d'éliminer toute présence de chair. Ensuite, elle est suspendue pour être séchée. Ainsi traitée, l'omoplate est disponible pour une séance de scapulomancie.

Avec une pièce de bois partiellement fendue et agrippée au joint de l'omoplate pour former en quelque sorte une poignée, le scapulomancien maintient l'os au-dessus de tisons ardents préalablement retirés d'un feu. La durée de l'exposition et la manière de manipuler l'os pour qu'apparaissent brûlures et fissures relèvent de la compétence du devin. Lorsque l'omoplate a craqué sous l'effet de la chaleur et que des configurations sont perceptibles, les personnes présentes peuvent à tour de rôle y aller de leur interprétation et échanger leurs commentaires sur le «message» à décoder. Habituellement, la scapulomancie de caribou se pratique le soir sans que les enfants ne soient autorisés à y assister. De plus, elle a lieu sur les territoires de chasse à l'intérieur des terres où résident les troupeaux de caribous. Les prédictions sont généralement valides pour quelques jours et des séances peuvent se tenir en rafale pendant quelques jours. La documentation ethnographique se rapportant à la scapulomancie de caribou est surtout composée de reconstitutions. Frank G. Speck est l'anthropologue qui a le plus recueilli de renseignements sur le sujet chez les Algonquiens du Subarctique. Dans son livre *Naskapi. The Savage Hunters of the Labrador Peninsula*, Speck livre différents dessins qu'il a fait faire par ses informateurs et rapporte les interprétations qui s'y rattachent. Bien que l'explication des «pyrogravures» demeure personnelle et ponctuelle, certaines règles d'interprétation semblent être partagées, du moins chez les Montagnais. Ainsi, Napoléon Comeau rapporte que:

> «Comme cette opération ne peut se faire d'une façon uniforme, il s'ensuit que la lecture des irrégularités varie. Une longue fêlure en ligne droite d'une extrémité à l'autre signifie mort ou famine. Une courte en zigzag sans ramifications veut dire beaucoup de trouble et de misère. Les fêlures en forme de rameaux avec de petites taches rondelettes de brûlé sur les bords indiquent l'abondance. Quand ces taches de brûlé se trouvent groupées près du pied de l'os, c'est signe que le gibier est tout près. Si elles se trouvent au bout des branches de la fêlure, le gibier est proportionnellement éloigné.»

Pour sa part, Michel Grégoire, Montagnais de Natashquan, livre dans son histoire de vie:

> «Il y avait d'autres façons de repérer le caribou. Par exemple, on chauffait une omoplate de caribou et lorsqu'elle fendait on pouvait lire où l'animal se réfugiait. Ainsi, si l'os ne fendait pas cela signifiait qu'il n'y avait pas de caribou

tandis que s'il craquait jusqu'au milieu cela indiquait qu'il était tout près. Enfin, si l'omoplate cassait, c'était qu'il était trop loin.»

Une certaine concordance peut donc être établie entre ce que rapporte Comeau, les propos de Grégoire et les croquis recueillis par Speck (dont certains ont été repris ici sur la planche illustrée plus bas).

Au-delà de la lecture prospective que fournit la scapulomancie, cette pratique comporte des dimensions écologique, sociale et idéologique. Dans un article scientifique, O.K. Moore fait l'hypothèse que la scapulomancie est, à toutes fins pratiques, un moyen utilisé par les chasseurs amérindiens pour répartir leurs efforts de chasse sur l'ensemble du territoire. En évitant de concentrer leurs prélèvements aux mêmes endroits parce que la scapulomancie les incite à fréquenter différents lieux de chasse, les Amérindiens assurent la survie et l'épanouissement des espèces animales. Dans cette perspective écologique, la scapulomancie doit être vue comme un moyen mnémotechnique mis au

Exemples de scapulomancie de caribou

  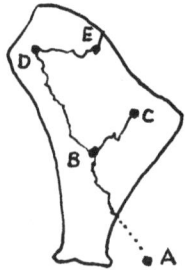

Cette configuration annonce une situation favorable.

Cette configuration prédit une situation favorable et la présence de caribous à l'extrémité des chemins.

Cette omoplate est un mauvais présage parce qu'elle a fendu jusqu'en haut (E).

D'après F.G. SPECK, *Naskapi. The Savage Hunters of the Labrador Peninsula*, Norman, University of Oklahoma Press, 1935, p. 152, 154 et 157.

point par les Amérindiens pour se rappeler l'importance de leur nomadisme et de leur mobilité sur le territoire. La scapulomancie n'est en aucun cas une pratique pour combler leur manque de jugement ou de discernement par rapport à la pérennité des animaux. Si tel était le cas, pour quelle raison la loi des grands nombres leur aurait-elle été favorable au cours des siècles? La chasse n'est pas une activité de hasard et elle repose sur des connaissances empiriques ainsi que sur une organisation sociale. L'approche sociologique empruntée par G.K. Park permet de comprendre la dimension sociale présente dans la scapulomancie. Selon lui, l'usage de la divination en général est une manière pour un groupe social de prendre une décision concernant l'ensemble des individus sans que pour autant une personne en soit l'unique responsable. Par exemple, lors d'une chasse au caribou, la scapulomancie permet aux chasseurs algonquiens d'échanger leurs observations sur l'état du territoire et, par l'intermédiaire de l'interprétation des «pyrogravures» inscrites sur l'omoplate, d'arriver à un consensus pour entreprendre leurs activités. Le succès d'une chasse repose en grande partie sur la

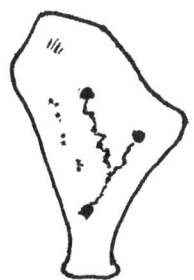 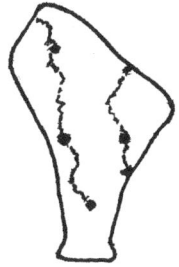 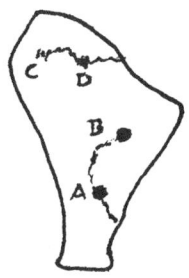

Cette omoplate décrit une tragédie à l'intérieur des terres: trois groupes de chasse connaîtront la famine.

Cette omoplate illustre à gauche une prédiction favorable et à droite un augure défavorable.

Cette omoplate est interprétée comme un augure défavorable parce que le chemin du chasseur (A-B) ne rejoint pas les lieux où se trouvent les caribous (C-D).

cohésion au sein d'une équipe de chasse. Même si un individu est reconnu comme chef d'équipe, ce dernier doit asseoir ses décisions sur une vision commune de la situation partagée par l'ensemble des participants afin d'éviter des dissensions pouvant compromettre le succès de leur chasse. Dans ce contexte, l'omoplate de caribou joue le rôle qu'une carte topographique peut avoir chez les chasseurs sportifs qui discutent entre eux pour établir leur stratégie.

Toutefois, les Algonquiens du Subarctique n'ont recours à la scapulomancie qu'à certains moments. A. Tanner a remarqué chez les Cris de Mistassini que la pratique de la scapulomancie correspondait assez souvent à des moments de transition à l'intérieur de leur cycle annuel. Le début du piégeage des animaux à fourrure, le commencement de la chasse au caribou ou encore la venue prochaine du ravitaillement par avion sont des situations propices à la scapulomancie. À partir de ces observations, Tanner soutient que la scapulomancie est un support à l'idéologie amérindienne. Puisque la place de l'humain dans l'univers serait imbriquée dans un réseau de relations avec des organismes de tout genre, il devient donc inconcevable pour un Algonquien du Subarctique d'entreprendre une chasse sans préalablement communiquer avec l'animal recherché. Pour la pensée amérindienne, tout est connexe et rien ne peut être isolé et, par conséquent, objectivé. Humain et animal ne peuvent exister que s'il y a expérience commune et la chasse, dans cette perspective, est la rencontre de deux sujets qui partagent un même projet. En pratiquant la scapulomancie, les chasseurs algonquiens se remémorent en quelque sorte les prémisses de leur idéologie, particulièrement lors d'un changement d'activité.

La scapulomancie est donc connexe aux diverses facettes de la vie sociale et tenter de la réduire à une seule fonction serait adopter une approche mécanique pour comprendre la réalité sociale. Par ce survol de la scapulomancie de caribou, on constate qu'un simple rite, apparemment anodin, nous conduit dans un autre monde où la pensée humaine a appréhendé et signifié différemment, mais tout aussi intelligemment, l'univers.

RÉFÉRENCES

COMEAU, Napoléon A. *La vie et le sport sur la Côte Nord du Bas Saint-Laurent et du Golfe*, Montréal, Leméac (réédition), 1983.

DOMINIQUE, Richard. *Le langage de la chasse. Récit autobiographique de Michel Grégoire, Montagnais de Natashquan.* Sillery, Presses de l'Université du Québec, 1989.

MOORE, O.K. «Divination – a New Perspective», *American Anthropologist*, 1957, 59: 69-74.

PARK, G.K. «Divination and its Social Contexts», *Journal of The Royal Anthropological Institute*, 1963, 93: 195-209.

SPECK, F.G. *Naskapi. The Savage Hunters of the Labrador Peninsula*, Norman, University of Oklahoma Press, 1935.

TANNER, A. «Decision and Cognition: a restudy of Naskapi Divination», communication présentée au congrès annuel de la Northeast Anthropological Association tenu à Burlington, Vermont, du 27 au 29 avril 1973.

Chapitre **7**

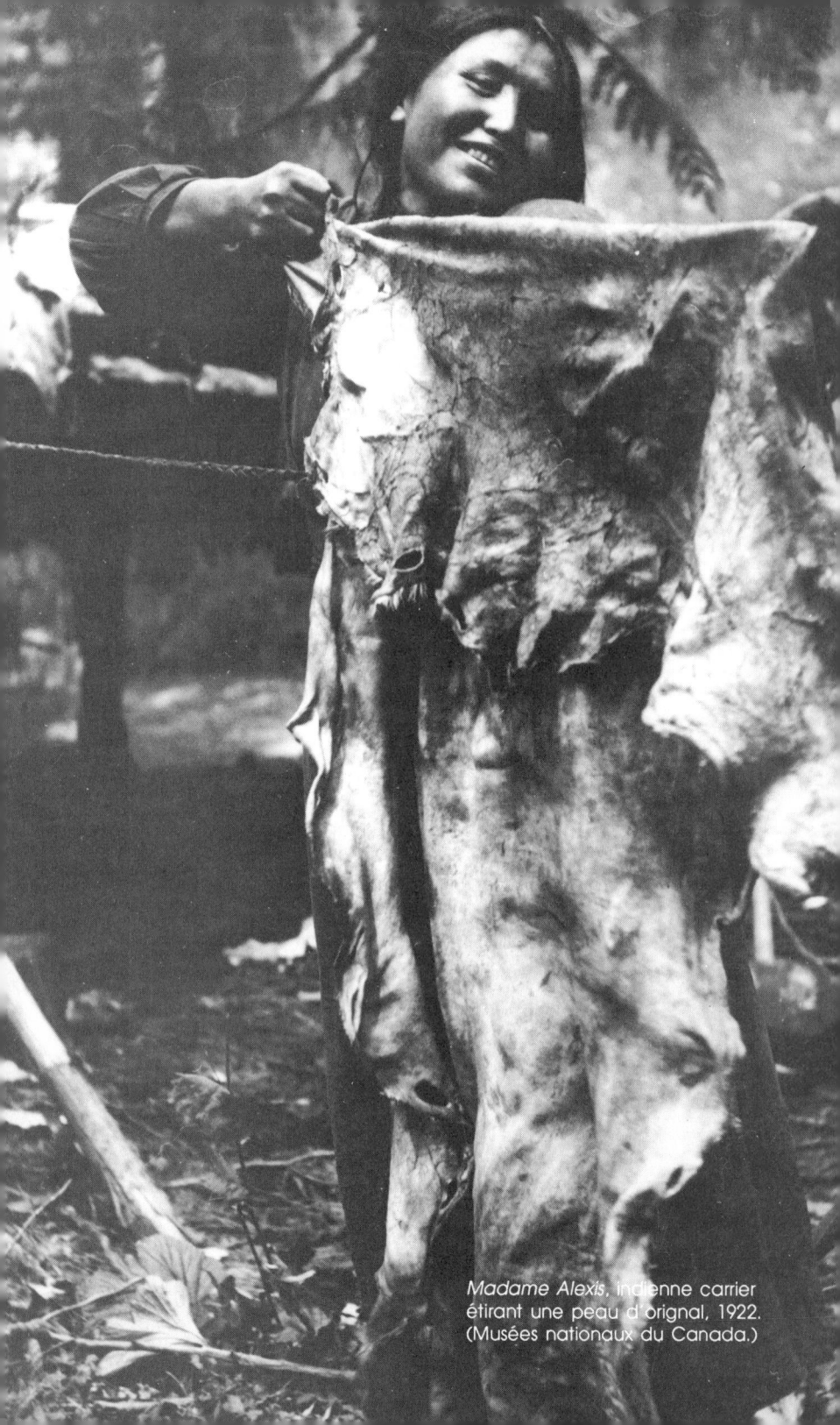

Madame Alexis, indienne carrier
étirant une peau d'orignal, 1922.
(Musées nationaux du Canada.)

À LA CROISÉE
DES CHEMINS

Hélène Dionne, ethnologue
Musée de la civilisation

Qui mieux que l'Amérindien connaît les animaux? La relation s'établit entre eux parce qu'ils partagent un même territoire et qu'ils savent communiquer. La longue coexistence des cultures amérindienne et eurogène a permis des échanges intéressants.

Les cultures apparaissent souvent très différentes parce qu'elles s'expriment par des langages très différents. Lorsqu'on s'intéresse à d'autres cultures, il est normal de satisfaire sa curiosité en tentant de répondre aux questions qu'elles suscitent. Que connaissons-nous réellement des Amérindiens? de ceux que nous côtoyons? de ceux qui vivent ailleurs sur le continent? Partagent-ils une même façon d'expliquer et de concevoir la nature et l'univers? Quels rapports entretiennent-ils? Ces rapports varient-ils? De notre longue coexistence avec les peuples autochtones, avons-nous appris et acquis quelque chose? Voici ce que l'on observe à la croisée des chemins des cultures amérindienne et eurogène.

Il est bien connu que les Amérindiens ont depuis toujours une relation étroite avec les animaux. Cette relation se divise en trois temps: l'Amérindien observe d'abord l'animal, ensuite il le capture et s'en sert à des fins matérielles et, enfin, il le sacralise en lui attribuant un rôle de premier plan dans ses mythes et dans ses rituels.

Dans toute l'Amérique du Nord, les peuples amérindiens partagent des éléments communs dans leurs conceptions de l'univers, en ce sens qu'ils se perçoivent comme faisant partie d'une grande chaîne dont tous les êtres vivants sont les maillons. Les liens entre les Amérindiens et les animaux sont multiples; qu'ils soient d'ordre matériel ou symbolique, ces liens existent justement parce que les humains et les animaux occupent le même territoire.

Quel que soit le mode de vie des Amérindiens, la réciprocité dicte leur relation avec les animaux. Leur conception de l'univers signifie que toute action ou geste entre en relation directe avec les autres êtres vivants. Pour les Amérindiens, rien n'est gratuit; il est donc impensable de songer à contrôler une situation pour en tirer un bénéfice exempt de redevances.

Si les peuples autochtones se voient comme des maillons de la chaîne, chaque être vivant occupe néanmoins une place bien définie. Ni les hommes ni les animaux ne peuvent changer de statut, sauf dans les mythes. Les chamans, lors d'un rituel particulier, peuvent endosser la «personnalité» d'un animal dans le but d'entrer en communication avec le maître des animaux ou avec les forces surnaturelles.

Indiens saulteaux
chassant avec des chiens.
(Manitoba, Service canadien des parcs.)

Ces relations qui reposent sur une communication constante entre les humains et les animaux sont soumises à des règles strictes que chaque partie doit respecter, sans quoi la communication est interrompue. D'après Richard Dominique, «cette communication avec les animaux s'établit par divers canaux comme le rêve, le chant, la danse, l'art décoratif, la médecine, etc.[1]» Cependant, une telle communication ne saurait exister sans l'observation suivie des animaux.

L'animal observé

La base de la relation est d'abord l'observation. Par cette activité, les Amérindiens apprennent du monde animal les modes de vie, le comportement, en somme tous les éléments qui peuvent contribuer à la survie et au développement (nourriture, vêtements, habitation, etc.); ce sont ces ressources qui assurent leur subsistance.

Les Amérindiens observent les animaux et la nature non seulement pour satisfaire leurs besoins matériels, mais aussi pour répondre à leurs besoins spirituels. Ainsi est-ce par l'intermédiaire des animaux que la nature transmet ses lois aux humains; le comportement animal enseigne comment agir dans telle ou telle situation. C'est l'observation suivie des animaux qui apporte les réponses à ces questions. Les connaissances ainsi acquises sont transmises par la tradition orale. Richard Dominique poursuit: «Les mythes, légendes, chants et comptines... relèvent des enseignements basés sur les observations empiriques enregistrées depuis des siècles et d'un code d'éthique ancestral... Observer c'est s'incorporer à l'univers et y participer[2].»

L'animal utilisé

De l'observation, les Amérindiens passent à l'action. Pour chasser et capturer le gibier, il faut connaître ses habitudes de vie, ses

---

1. Richard Dominique, *Le rapport humain-animal chez les peuples amérindiens*, rapport de recherche pour le projet d'exposition «L'Œil amérindien, regards sur l'animal», Québec, Musée de la civilisation, 1988, p. 25.
2. *Ibidem*, p. 20.

cycles de migrations, de reproduction et surtout son comportement. Les déplacements et les installations des Amérindiens dépendent non seulement du milieu où ils vivent, mais aussi de la présence et de la migration des animaux. Certains autochtones ont organisé leur vie sociale autour d'un animal ou d'un groupe d'animaux; on n'a qu'à penser aux différents groupes des Plaines qui ont adopté le cheval et modifié leur mode de vie pour suivre les troupeaux de bisons. D'autres ajoutent la chasse à leurs activités économiques pour pallier certains manques que l'agriculture seule ne suffit pas à combler (cuir, outils, plumes, œufs ou substances médicinales).

Le Nord du continent regroupe des chasseurs qui ajoutent l'horticulture à leur principale ressource, le gibier. Au sud, les groupes, davantage sédentarisés, pratiquent une agriculture intensive et la cueillette des petits fruits; dans ce contexte, les relations avec les animaux deviennent complémentaires. Certains groupes mexicains chassent aussi les petits mammifères et les oiseaux. Pierre Beaucage signale que «ces petits animaux sont tolérés même s'ils prélèvent leur quote-part des cultures et du

Cerf.
(Ministère du Loisir, de la Chasse et de la Pêche du Québec.)

poulailler. Ce sont les esprits chtoniens qui les envoient pour nourrir les humains[3].»

Fait important à souligner, les peuples amérindiens ne pratiquaient pas l'élevage ni la domestication des animaux, à l'exception du dindon, du chien et des abeilles. C'est au contact des Européens que les animaux de basse-cour et le cheval ont été intégrés au mode de vie amérindien. Les Amérindiens croient que l'animal se donne, que ce n'est pas l'humain qui le prend. C'est la raison pour laquelle l'entrée en contact avec l'animal ou avec le maître des animaux chassés est primordiale. Il faut lui rendre hommage, lui témoigner du respect et lui demander de désigner quels animaux se laisseront prendre par les chasseurs. Daniel Clément rapporte d'ailleurs que «chaque espèce [...] est régie par un maître invisible qui décide des proies à être mises à la disposition du chasseur[4].» En réponse à ces demandes, le maître des animaux (qu'il s'agisse du maître des caribous, des bisons, des saumons ou des lièvres) verra si les

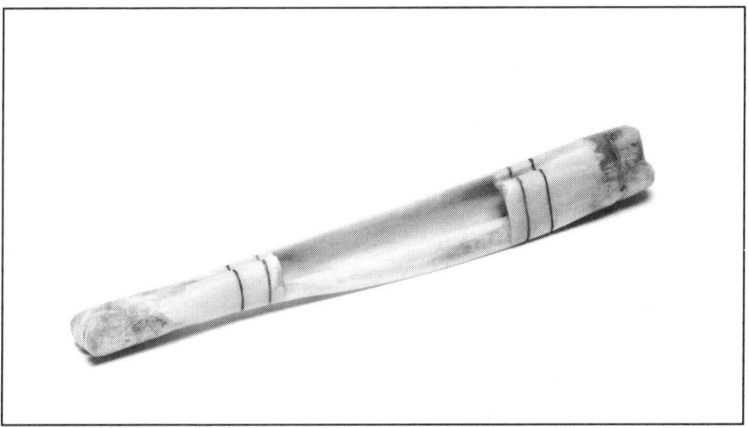

Grattoir, naskapi.
(Collection: Musée de la civilisation. Photo: Pierre Soulard.)

3. Pierre Beaucage, *Les humains et les animaux en Mésoamérique*, rapport de recherche pour le projet d'exposition «L'Œil amérindien, regards sur l'animal», Québec, Musée de la civilisation, 1990, p. 4.
4. Daniel Clément, *Le rapport Homme-animal chez les Amérindiens au nord du Mexique*, *rapport N° 1: les aires culturelles*, rapport de recherche pour le projet d'exposition «L'Œil amérindien, regards sur l'animal», Québec, Musée de la civilisation, 1990, p. 8.

règles ont été respectées par les humains et dans l'affirmative, il acquiescera aux requêtes des chasseurs. Ces derniers devront ne prélever que la part de gibier nécessaire pour subvenir à leurs besoins. Tout excès dans les captures sera inévitablement payé par l'absence de gibier sur le territoire lors des prochaines chasses. Cette règle de réciprocité est fondamentale, elle est une manière d'édicter des normes. En désapprouvant le gaspillage et les excès, les Amérindiens respectent la capacité de reproduction du cheptel et assurent un approvisionnement constant.

Chez les Amérindiens du Sud, plus particulièrement chez les Nahuas du Mexique, cette même notion se traduit de la façon suivante: il est nécessaire de mener une bonne vie et de ne pas gaspiller la viande. Il ne faut ni la donner ni la vendre à de mauvaises gens, faute de quoi l'animal ne se laissera plus prendre.

Les techniques de chasse

Les conditions de vie qu'imposent le climat et l'environnement ont amené les humains à user de ruse et d'ingéniosité pour vivre et survivre. Ils ont ainsi développé de nombreuses techniques de chasse, spécifiques à chaque type de gibier. Des armes traditionnelles tels l'arc et les flèches, la lance, les collets, les pièges, les trappes et les enclos sont fréquemment utilisées pour le gros gibier (cerf, caribou, bison, etc.). Pour attraper les animaux grégaires, les chasses se font au moment où les différents groupes d'une population amérindienne se réunissent à la fin des déplacements saisonniers. Ces chasses collectives ne sont cependant pas pratiquées de manière intensive afin de préserver la taille du cheptel. Les plus petits gibiers et les poissons sont capturés avec des moyens semblables à ceux utilisés pour le gros gibier, en ayant de plus recours aux filets, hameçons et leurres. Fusils, carabines et pièges de métal sont aussi mis à contribution.

La plupart des animaux, ceux sur lesquels repose la vie matérielle, peuvent être identifiés comme animaux-nourriture. D'autres sont chassés à la fois pour la nourriture et pour le pouvoir qu'ils confèrent. C'est le cas de l'ours et du loup qui inspirent crainte et respect; ils sont prédateurs au même titre que les humains. D'autres encore ne sont chassés que pour le prestige ou le pouvoir: l'aigle pour les plumes de sa queue, le jaguar pour sa tête et sa peau, et le serpent.

Les Amérindiens savent tirer profit des ressources animales; ils utilisent la peau, la chair, les entrailles, les os, les dents, les plumes, etc. L'exemple du caribou est assez éloquent. Sa peau et son pelage servent à confectionner notamment des vêtements, des abris, des sacs et des raquettes. Sa chair, sa moelle, certains de ses viscères sont consommés immédiatement, ou encore sont cuits ou séchés pour être conservés. Ses tendons servent à la fabrication des arcs et aux travaux de couture. Il en va de même pour l'ours, le castor, le bison et le lièvre. Les modes d'utilisation des matières animales varient presque à l'infini.

D'autres sources d'approvisionnement tels les poissons et les coquillages servent d'abord à la consommation, alors que les parties non comestibles sont utilisées à des fins décoratives. Les coquillages sont travaillés pour obtenir des grains ou perles utilisés dans la confection des wampums, des ceintures, des colliers et autres ornements. Enfin, on se sert de la peau et des os de certains animaux pour fabriquer des jouets ou des instruments de musique comme les hochets, les tambours et les sifflets.

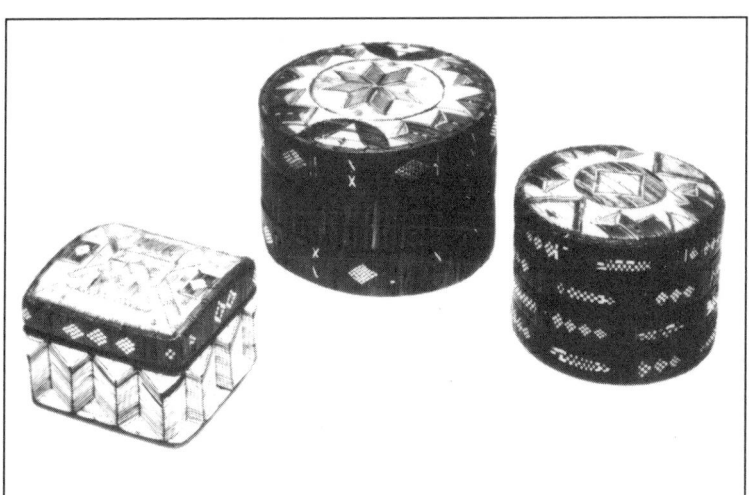

Boîtes, micmac,
écorce de bouleau et piquants de porc-épic.
(Collection: Musée de la civilisation. Photo: Pierre Soulard.)

Cette fonction décorative et artistique, enracinée dans l'expression religieuse, ajoute une nouvelle dimension à la relation qui existe entre l'Amérindien et les animaux. Les représentations artistiques des animaux, qu'elles soient matérielles comme dans les sculptures, les peintures, les motifs de tissage et la broderie ou qu'elles soient gestuelles et sonores dans les chants, les danses ou les récits, expriment une autre dimension de la communication. La broderie et le tissage permettent une double utilisation de l'animal: le matériel de base (cuir, laine, poils) provient directement de l'animal et le motif ornant l'objet est un dessin d'animal.

L'animal sacralisé

Divers rituels s'accomplissent avant et après la capture d'animaux, dont un consiste à s'adresser au maître des animaux pour obtenir des proies. Le chasseur peut aussi rejoindre l'animal par des offrandes et des chants sacrés pour lui signifier qu'il s'excuse de devoir l'abattre, mais qu'il le fait par nécessité. Des rites divinatoires, telle la scapulomancie, permettent de repérer les animaux. Selon le type de gibier chassé, des rites post-mortem sont pratiqués pour maintenir la communication avec le maître des animaux, le remercier et réitérer les marques de respect envers celui-ci.

Une fois capturés,

«les animaux [retournent] dans leur sanctuaire au fond de la mer ou de la forêt, satisfaits d'avoir aidé les humains et enclins à revenir l'année suivante pour perpétuer la suite du monde[5].»

Beaucoup de peuples amérindiens partagent l'idée que l'humain est, à l'instar des animaux et des végétaux, issu des entrailles de la terre.

«Dans les mythes, l'animal demeure toujours privilégié pour représenter la création de l'univers et la propagation de la culture[6].»

---

5. Richard Dominique, *op. cit.*, p. 13.
6. Daniel Clément, *op. cit.*, p. 65.

Chez les Huichols du Mexique:

«Avant l'agriculture était la chasse, avant l'homme était le cerf et avant le maïs l'amarante. Le cerf a laissé sa place à l'homme et lui a aussi donné le secret de l'agriculture tout comme celui de la nourriture sacrée, le peyotl, qui permet d'entrer en contact avec les dieux[7].»

Tout comme les peuples du Nord rendent hommage au maître des animaux avant la chasse, les peuples du Sud demandent l'assentiment du cerf avant chaque cycle agricole. Le cerf est considéré comme le représentant de la nature et s'il acquiesce aux demandes des agriculteurs de cultiver la terre et d'obtenir une bonne récolte, il se laissera capturer par les chasseurs.

Il peut arriver que les humains transgressent les lois qui maintiennent la communication entre les animaux et eux-mêmes. La chaîne s'en trouve alors brisée, et il faut rétablir le contact pour pouvoir assurer la subsistance des membres de la communauté. Il existe des moyens de s'adresser aux dieux ou aux esprits messagers afin qu'ils intercèdent auprès des maîtres des animaux.

On les supplie d'entendre l'appel des humains, d'accepter leurs offrandes et leur requête pour obtenir de nouveau du gibier. «La tente tremblante» est un des rites pratiqués pour rétablir la communication entre l'humain et la nature, la personne et les animaux ou entre un individu et son esprit protecteur. D'autres rites, qui sont l'apanage des chamans, procèdent par l'intermédiaire d'un animal: ce sont le plus souvent des cérémonies pour obtenir la guérison d'un malade ou l'appui des dieux en temps de guerre.

L'animal protecteur

Les Amérindiens accordent aux animaux une fonction symbolique: l'animal en tant qu'esprit protecteur. L'acquisition d'un esprit protecteur peut se faire dès la naissance, mais c'est en

---

7. Pierre Beaucage, *op. cit.*, p. 9.

général lors des rites initiatiques du passage à la vie adulte que l'esprit protecteur se manifeste le plus souvent. À cette occasion, le jeune se retire dans la forêt et jeûne pendant quelques jours. Cet état de privation le fait se bercer entre le rêve et le délire et lui permet de rencontrer son esprit protecteur. Ce dernier donne à son protégé, avec qui il développe une relation privilégiée, un nom, un «chant» et différents objets qui deviendront ses fétiches. L'acquisition d'un esprit protecteur suppose l'obtention d'un pouvoir analogue à celui de l'animal protecteur. Si l'esprit protecteur est une croyance que partagent les différents peuples amérindiens, la manière de l'acquérir varie selon les groupes.

Malgré l'accès aux commodités du monde moderne, la relation qui existe entre les Amérindiens et les animaux reste profondément ancrée dans leur culture.

Point de vue

Ces quelques coups d'œil jetés sur les cultures autochtones de l'Amérique du Nord proposent une image composée de rapprochements, d'oppositions et d'échanges avec notre propre culture dans le cadre d'une longue coexistence.

En réunissant les textes pour constituer ce livre, nous avons eu l'occasion de discuter avec chacun des auteurs et il nous en est resté une grande impression que nous aimerions partager avant de refermer les guillemets sur tous ces propos.

Nous avons beaucoup appris au sujet des différents modes d'expression des autochtones; un sentiment d'intimité s'est développé nous permettant de prendre conscience des cultures autochtones dans leur dimension quotidienne. Nous avons retenu que les Amérindiens, comme tous les êtres vivants, subissent les influences du climat; leur humeur et leur caractère s'en trouvent modifiés. Ils n'écoutent peut-être pas toujours le bulletin météorologique, mais ils regardent attentivement le ciel, les nuages ou le vol des oiseaux pour savoir le temps qu'il fera.

La curiosité fait partie de la nature humaine. Elle est présente dans toutes les cultures. C'est aussi la curiosité qui pousse l'humain à vouloir connaître son avenir et à prévoir sa destinée. Les Amérindiens, comme nous tous, veulent connaître leur futur. Ils interrogent la nature et les animaux, entre autres par des rites comme la scapulomancie, pour trouver réponses à leurs questions et calmer leurs inquiétudes.

Les Amérindiens aiment eux aussi le rire et l'humour. Ils se racontent nombre d'histoires où le discours s'épice et se corse au fur et à mesure que le récit avance; ou encore l'atmosphère du récit crée une tension et des craintes soulagées par la victoire du héros. Les histoires à caractère moralisateur mettent souvent en scène des animaux pour accentuer un défaut ou une qualité, et expliquer sous un couvert drôle et amusant des règles de conduite sociale. Ésope et Jean de Lafontaine n'ont-ils pas fait de même?

Les récits d'animaux permettent aux humains et aux animaux de communiquer en utilisant un seul et même langage. La magie du récit dote ses personnages de la parole, d'intelligence, de ruse, d'un sens de l'humour. Qu'ils soient mythiques ou populaires, les récits résistent à l'épreuve du temps. Ils traversent même les «frontières» culturelles. Qui ne connaît pas les mésaventures du coyote qui essaye d'attraper le coucou terrestre? Ou encore comment expliquer la ruse et l'humour de Bugs Bunny? Ces personnages de dessins animés pourraient bien être les descendants et héritiers des *tricksters* amérindiens Coyote et Lapin! Les créateurs de bandes dessinées et de films d'animation ont trouvé et trouvent encore aujourd'hui leur inspiration dans les récits d'animaux. Roger Rabbit et sa séduisante Jessica sont une vision modernisée du mythe universel de la femme séduite par un amant à figure d'animal.

L'animal-emblème est une autre caractéristique qui ressort des cultures amérindiennes. Les «totems» scouts rappellent à beaucoup leur initiation à la forêt et à la vie en plein air. L'animal-emblème est utilisé exactement aux mêmes fins que l'animal protecteur chez les Amérindiens, par de nombreuses équipes de sport amateur et professionnel (les Tiger Cats au football, les Blue Jays et les Cardinals au baseball). Le choix d'un totem comme nom d'une équipe de sport vise souvent à susciter l'osmose des forces et de la puissance de l'animal-emblème chez les membres de l'équipe. Les animaux protecteurs ou emblèmes existent aussi chez les autres peuples de l'Amérique du Nord.

Quand l'automne reviendra colorer la forêt, soyez attentif à votre entourage, essayez de remarquer combien de vos compagnons subiront l'appel de la chasse. Quand ils en parleront, remarquez bien l'expression dans leurs yeux; peut-être y verrez-vous l'œil amérindien.

Annexe

EN SUIVANT L'ŒIL AMÉRINDIEN...

Céline De Guise, chargée de projet d'exposition
Musée de la civilisation

Vous êtes conviés à la visite d'un monde reconstitué. Par l'Amérindien, on découvre l'animal, on l'apprivoise, on le respecte. Par l'animal, on entre dans la vie des peuples amérindiens, dans leurs coutumes, leurs traditions.

Pour clore la série de coups d'œil que présente ce recueil sur l'animal compagnon de l'Amérindien, ne serait-il pas naturel de convier le lecteur à imaginer une visite d'un monde reconstitué où ont été invités les acteurs de ce vaste théâtre qu'est l'Amérique du Nord à l'heure autochtone? L'Amérindien et l'animal s'y meuvent, aujourd'hui comme autrefois, dans un décor, changeant il est vrai, mais qui recèle la permanence de valeurs qui traduisent l'équilibre du monde et reconnaissent à la nature ses droits fondamentaux.

Commençons cette visite en nous rappelant que

«les Amérindiens [ont] la réputation, à cause de leur vie libre et de leurs habitudes forestières, d'avoir les sens si aiguisés qu'ils peuvent apercevoir sans détourner la tête aussi bien ce qui se passe à droite et à gauche que ce qui se présente devant eux.»

(Pierre Morency, *L'œil américain*, p. 18)

L'œil amérindien attire, son regard questionne.

Le visiteur est convié à une rencontre particulière. C'est par l'intermédiaire de l'animal qu'il découvrira la vie des peuples autochtones en terre d'Amérique. Une expérience multisensorielle lui est offerte. L'animal fait partie intégrante de l'histoire amérindienne, de ses origines à nos jours. Souvent révélé à l'individu au cours d'un rite de passage, l'animal joue le rôle de protecteur et de gardien personnel.

D'abord, c'est la forêt où se terre l'animal. Aujourd'hui, la forêt s'ouvre, appelant le promeneur au son du tambour et des bruits d'animaux. La forêt l'invite à connaître l'animal qui surgit du fond des bois. Il lui faut l'apprivoiser, revêtir sa peau, voir à travers son regard, pour découvrir les animaux des quatre mondes, et aborder la terre d'Amérique. Il devient pour le visiteur l'animal-messager.

Le regard du visiteur croise celui du coyote, puis celui du corbeau. Deux cartes de parcours sont possibles. Le visiteur choisit de se transformer en l'un ou l'autre de ces animaux appelés messagers ou *tricksters*. Le visiteur-coyote et le visiteur-corbeau ont pénétré dans la forêt en perdant leur nature humaine.

Le coyote et le corbeau sont à l'affût, prêts à refaire l'ordre du monde avec leur humour bondissant. Ils relient les univers réel et mythologique. Leurs formes se dessinent, apparaissant et disparaissant; ils manifestent en quelque sorte leur rôle de messagers ou de joueurs de tours. Ils amènent le visiteur à s'interroger sur l'origine du monde, sur le rôle des différentes espèces d'animaux, sur les rapports que ces derniers entretiennent avec les hommes. Leur personnalité respective influencera la visite. Mais qu'arrivera-t-il?

Les visiteurs ayant endossé les rôles du coyote ou du corbeau sont maintenant attirés par un mouvement d'images. Elles se précisent, les visiteurs reconnaissent le lézard et le serpent, des animaux issus du monde souterrain. Puis viennent les poissons, les castors, les baleines, habitants du monde aquatique. En levant les yeux un peu plus haut, ils découvrent les maîtres du monde terrestre: le cheval, le cerf, le bison et le porc-épic. Et, encore plus haut, plane l'aigle régnant sur le monde aérien. Le coyote et le corbeau viennent de faire connaissance avec les animaux des quatre mondes. Les animaux rencontrés reviendront leur parler tout au long des lieux à venir.

Comment s'y reconnaître? Où se déplacer? Le soleil est déjà au zénith. Sa course oriente le parcours. Nos deux compagnons partent à la découverte du territoire qu'on appelle «Amérique du Nord». Les voici en face d'une grande carte aux cinq couleurs sur laquelle sont écrits des centaines de noms de peuples que le coyote, qui a appris à lire, découvre et partage avec le corbeau; celui-ci l'écoute attentivement. Le corbeau a bonne mémoire. La visite commence par la terre rouge (le Sud), se poursuit sur la terre orangée (le Centre), pour passer à la terre verte (l'Ouest) et ensuite à celle qui est recouverte de blanc (le Nord); elle se terminera par la terre jaune (l'Est).

Parcourir la terre d'Amérique, c'est voyager sur cette île gigantesque bordée d'océans. Découvrir un peu plus des peuples qui l'ont habitée avant nous. Adopter le regard du découvreur, confirmer nos intuitions. Aller à la rencontre des peuples qui vivaient sur ce territoire, qui l'avaient avant nous adopté, aimé, respecté. Tenter de comprendre ou de cerner le regard qu'ils portaient sur ces terres regorgeant d'animaux, ressources précieuses et symboles de vie. Apprécier leurs connaissances, s'y frôler pour en savoir un peu plus.

Les frontières que l'on traversera sont imaginaires. Elles divisent les zones en fonction des quatre points cardinaux et du centre. De tout temps, les Amérindiens se sont déplacés en tenant compte de ces points de repère. Dans le périple que nous avons entrepris, ces points suggèrent des lieux qui servent à identifier des régions aux caractéristiques similaires, bien au-delà d'un découpage géographique, un territoire vu et parcouru dans une perspective qu'on pourrait appeler «multidisciplinaire». Le territoire devient ainsi lieu social et physique, milieu de vie pour des milliers d'humains en quête de subsistance et lieu de rencontre avec l'animal; c'est aussi celui de l'histoire et du rêve.

Comprendre, avec un œil différent, des peuples qui ont été conquis, qui ont dû se déplacer et modifier parfois complètement leur mode de vie. Marcher sur ce territoire, vivre au rythme de la terre. Passer à travers les grands espaces à la façon de ces peuples qui respectaient l'animal qui les nourrissait.

Le coyote et le corbeau entrent en terre d'Amérique par la porte du Sud. Animé et changeant, le territoire révèle ses trésors.

III

Des images d'animaux et d'Amérindiens se profilent, laissant place à l'observation. La forêt dévoile ses secrets. En périphérie apparaissent des objets liés à l'utilisation de l'animal par l'Amérindien. Le visiteur-coyote et le visiteur-corbeau se déplacent à même un décor où s'étagent les paliers des différents mondes souterrain, aquatique, terrestre et aérien. Les paliers sont aussi des estrades d'où l'on peut observer l'unité du monde. Des liens unissent l'humain à l'animal. À travers des scènes quotidiennes et des rituels s'exprime l'esprit de l'un et de l'autre. L'animal est observé dans son habitat naturel. À celui-ci s'ajoutent des objets fabriqués par la Nature, par l'Amérindien ou par les deux, qui sont des signes de cette relation à la fois matérielle et spirituelle que l'Amérindien établit avec l'animal pour l'honorer et le remercier. Retrouver le sens de ces objets et leurs fonctions. Redonner à chacun son rôle profond, que ce soit une pipe, un bouclier, un instrument de musique (tambour ou flûte), une amulette ou un vêtement. L'animal en toute occasion s'y manifeste. Découvrir les témoins de la vie amérindienne avec les yeux de l'âme.

Une contemplation de l'objet et de l'image est proposée au promeneur. Ainsi, l'instant du regard peut quitter la rigidité du temps. En se déplaçant, il devient lui-même créateur d'espace. Il redonne vie à ce qui est, a été en maints endroits détourné de l'essentiel.

Le promeneur, à l'orée ou au fond d'une forêt, d'un antre ou d'une maison, sera sollicité par des rituels qu'évoquent des objets au message retrouvé. Puis apparaîtront des œuvres d'artistes autochtones traduisant une vision contemporaine de l'animal.

Du Sud au Nord, de l'Ouest à l'Est en passant par le Centre, le visiteur aura retrouvé l'œil de l'Amérindien et ses différents regards sur l'animal. Il aura vu des images et des objets qui expriment la différence de chacune des zones aussi bien par la variété des animaux et des peuples que par la différence des rapports qu'ils entretiennent.

Au cœur de cette forêt, un lieu central magique où le soleil et la lune se regardent et forment le cercle symbolique. Il ne sera accessible, le coyote et le corbeau le savent, qu'à condition de renaître d'abord par l'Est pour enfin parvenir au lieu de réflexion et de recueillement.

Au cœur de cette terre d'Amérique, le cercle permet un lieu d'arrêt hors du temps et de l'espace fragmenté. Le cercle situe les points de rencontre. Il symbolise non seulement le soleil, la terre-mère, mais aussi l'œil par lequel le visiteur peut refaire le parcours de ce vaste territoire. Le cercle devient aussi l'oreille; il entend l'histoire de la relation entre l'Amérindien et l'animal par les légendes qu'il faut écouter. Dans ce cercle, le visiteur trouvera l'animal qui lui ressemble et auquel il peut s'associer.

Avant de quitter cette terre où l'être humain et l'animal ont établi une relation privilégiée, le visiteur reverra l'animal-messager qui lui réitérera son message: l'omniprésence des animaux, une constante dans les mœurs amérindiennes. À peine sorti des sentiers, le promeneur revoit l'image de l'animal qui au départ l'avait envahi de son regard. L'image s'estompe et il se retrouve face à lui-même. Son reflet le ramène à la réalité; à lui de la redécouvrir – il lui faudra pour cela lire les paysages, interroger le regard de l'Amérindien et le geste de l'animal, parcourir les chemins de la mémoire. Pour recréer ce rendez-vous privilégié, le Musée de la civilisation présente, de mai à octobre 1991, l'exposition «L'Œil amérindien, regards sur l'animal», qui convie le visiteur à suivre le parcours que nous venons de proposer. Ce texte peut donc servir d'introduction à l'exposition ou en consigner le souvenir sensible.

COMPOSÉ EN TIMES ET EN AVANT GARDE,
CET OUVRAGE PRÉPARÉ EN COÉDITION AVEC LE MUSÉE DE LA CIVILISATION
A ÉTÉ MIS EN PAGES AUX ATELIERS DE L'ÉDITEUR
À PARTIR D'UNE MAQUETTE CONÇUE PAR LÉVIS MARTIN
ET IMPRIMÉ SUR PAPIER OFFSET 140M
AUX ATELIERS GRAPHIQUES MARC VEILLEUX
À CAP-SAINT-IGNACE, QUÉBEC, EN AVRIL 1991
POUR LE COMPTE DES ÉDITIONS DU SEPTENTRION